総合判例研究叢書

労働法（9）

有斐閣

労働法・編集委員

石井照久
浅井清信

序

フランスにおいて、自由法学の名とともに判例の研究が異常な発達を遂げているのは、その民法典が百五十余年の齢を重ねたからだといわれている。それに比較すると、わが国の諸法典は、まだ若い。最も古いものでも、六、七十年の年月を経たに過ぎない。しかし、わが国の諸法典は、いずれも、近代的法制を全く知らなかつたところに輸入されたものである。そのことを思えば、この六十年の間に極めて重要な判例の変遷があつたであろうことは、容易に想像がつく。事実、わが国の諸法典は、それに関連する判例の研究でこれを補充しなければ、その正確な意味を理解し得ないようになつている。

判例が法源であるかどうかの理論については、今日なお議論の余地があろう。しかし、実際問題として、多くの条項が判例によつてその具体的な意義を明かにされているばかりでなく、判例によつて特殊の制度が創造されている例も、決して少くはない。判例研究の重要なことについては、何人も異議のないことであろう。

判例の創造した特殊の制度の内容を明かにするためにはもちろんのこと、判例によつて明かにされた条項の意義を探るためにも、判例の総合的な研究が必要である。同一の事項についてのすべての判決を探り、取り扱われた事実の微妙な差異に注意しながら、総合的・発展的に研究するのでなければ、判例の研究は、決して終局の目的を達することはできない。そしてそれには、時間をかけた克明な努力を必要とする。

幸なことには、わが国でも、十数年来、そうした研究の必要が感じられ、優れた成果も少くないようになつた。いまや、この成果を集め、足らざるを補ない、欠けたるを充たし、全分野にわたる研究を完成すべき時期に際会している。

かようにして、われわれは、全国の学者を動員し、すでに優れた研究のできているものについては、その補訂を乞い、まだ研究の尽されていないものについては、新たに適任者にお願いして、ここに「総合判例研究叢書」を編むことにした。第一回に発表したものは、各法域に亘る重要な問題のうち、研究成果の比較的早くでき上ると予想されるものである。これに洩れた事項でさらに重要なもののあることは、われわれもよく知つている。やがて、第二回、第三回と編集を継続して、完全な総合判例法の完成を期するつもりである。ここに、編集に当つての所信を述べ、協力される諸学者に深甚の謝意を表するとともに、同学の士の援助を願う次第である。

昭和三十一年五月

編集代表

小野清一郎　宮沢俊義

末川博　我妻栄

中川善之助

凡例

一　判例の重要なものについては、判旨、事実、上告論旨等を引用し、各件毎に一連番号を附した。

二　判例年月日、巻数、頁数等を示すには、おおむね左の略号を用いた。

大判大五・一一・八民録二二・二〇七七　（大審院判決録）

（大正五年十一月八日、大審院判決、大審院民事判決録二十二輯二〇七七頁）

大判大一四・四・二三刑集四・二六二　（大審院判例集）

最判昭二二・一二・一五刑集一・一・八〇　（最高裁判所判例集）

（昭和二十二年十二月十五日、最高裁判所判決、最高裁判所刑事判例集一巻一号八〇頁）

大判昭二・一二・六新聞二七九一・一五　（法律新聞）

大判昭三・九・二〇評論一八民法五七五　（法律評論）

大判昭四・五・二二裁判例三・刑法五五　（大審院裁判例）

福岡高判昭二六・一二・一四刑集四・一四・二一一四　（高等裁判所判例集）

大阪高判昭二八・七・四下級民集四・七・九七一　（下級裁判所民事裁判例集）

最判昭二八・二・二〇行政例集四・二・二三一　（行政事件裁判例集）

名古屋高判昭二五・五・八特一〇・七〇　（高等裁判所刑事判決特報）

東京高判昭三〇・一〇・二四東京高時報六・二・民二四九　（東京高等裁判所判決時報）

札幌高決昭二九・七・二三高裁特報一・二・七一　（高等裁判所刑事裁判特報）

前橋地決昭三〇・六・三〇労民集六・四・三八九　（労働関係民事裁判例集）

その他に、例えば次のような略語を用いた。

裁判所時報＝裁　時　　家庭裁判所月報＝家裁月報

判例時報＝判　時　　判例タイムズ＝判　タ

目次

判例索引

労働組合の訴訟当事者適格

峯 村 光 郎

はしがき

　訴訟当事者適格の問題は、紛争を訴訟にもち出すにはだれがだれを相手取つて訴えるべきであるかという問題、すなわちいわゆる正当な当事者の問題である。いいかえると、当事者として特定の訴訟を追行し、これについて本案判決を求めることのできる権能すなわち訴訟追行権をいうのであつて、特定の法律関係の存否についての紛争をめぐつて、原告として訴えあるいは被告として訴えられるに適する資格のことである（なお宮崎澄夫「当事者適格」（民事訴訟法学会・民事訴訟法講座第一巻所集）参照）。

　労働組合が、その組合員と使用者との間に成立した個々の労働契約上の権利または法律関係についての訴訟における当事者適格をもつかどうかについて、学説は大いに分れている。しかし判例としては、「共同通信事件」についての昭和二十七年四月二日の最高裁決定以来、その趨勢は決つてしまつた。

　最高裁のこの消極説が出たため、実務的にも不便が甚しく、なんとかこの問題を解決しなければならない必要に迫られていた。その後昭和三十四年、いわゆる「労働関係訴訟法における労働組合の当事者適格に関する法律案」が当時の社会党議員有志によつて国会に提出されたことがあつたけれども、これは流れてしまつた。いまここで労働組合の訴訟当事者適格についての論争の発展のあとを辿つてみることは、この問題が、労働法と市民法的訴訟法との関係、労働組合あるいは団結体の特質、社会的必要性と判例法の形成、裁判所あるいは学説の役割、上級審と下級審との感覚の違いなど、いくつかの興味ある課題を提供しているので、判例を中心としながらこの論争をトレースしてみることにする。

一　消極説

最初にあらわれた判例は消極説であつたが、消極説には次のようなものがある。

【1】「本件申請の要旨は、申請人組合員らは勤労の権利を有するのにかかわらず、被申請人らは、不法にもこれを妨害して就業せしめないばかりか、賃料を支払わず、且つ、労働協約中のユニオン・ショップの規定に違反して、申請人組合脱退者、すなわち第二組合員の出勤停止及び解雇をなさないから、申請人は、被申請人らに対し、労働協約履行等の訴を提起しようとするのであるが、事態はすでに急迫して、このまま推移すれば、いちぢるしい損害を生ずること必至の状勢であるから、とりあえず、被申請人らの申請人組合員に対する妨害排除、賃金請求及び第二組合員の出勤停止の仮処分を求めるというのであるが、申請人が、その所属組合員において、被申請人に対し有すると主張する労働させることを請求する権利又は賃金支払を求める権利なるものは、いずれも所属組合員個人に属する権利であつて、すでに発生したこれらの権利について、当該労働組合がこれを処分する権能を認めた規定がないから当該労働組合は、これらの権利を訴訟において追行する適格を有しないものというのほかはない。従つて、申請人は、申請人組合に属する労働者の右各権利について、保全の請求をする適格なく、この点に関する本件保全の申請は、その理由がないものといわなければならない」(月島機械仮処分事件、横浜地判昭二四・二・二五労働資料三・一一一)。

【2】いわゆる公務員の一週四十八時間勤務制実施の通牒が無効であることを理由として、従前の勤務時間を越えて勤務を要求することを禁ずる仮処分の申請について、「申請人は更に本件依名通牒が、申請人組合員と被申請人との間の労働契約にも違反する旨を主張するが、かかる個々の組合員を当事者とする労働契約関係に基く請求については、申請人組合は、権利義務もしくは法律関係の実体法上の当事者でなく又当然に労働契約上の権利義務に対する処分権を有するものでもないから訴訟法上もその正当なる当事者でないものというべきであつて、かかる個々の労働契約にもとずく保全請求はこの点において理由がない」(大阪市仮処分事件、大阪地決昭二四・三・二六労働資

料四・一六六）。

【3】「賃金請求については、これは所属組合員個人に属する権利であつて、組合がこれを処分する権能を認めた規定がない以上組合は申請人として組合員への賃金支払を求める適格がないものと解さなければならない」（日本亜鉛鉱業中竜鉱山事件、福井地決昭二四・八・一三労働資料七・一七〇）。

【1】【2】とだいたい同旨のものに、汽車製造仮処分事件（岡山地決昭二五・六・九労民集一追一二八九）、備前護謨仮処分事件（岡山地決昭二五・六・三〇労民集一追一二九三）などがある。

また労働基準法第二四条および第五九条を根拠にして否定しているものに【4】、第二四条を根拠にして否定説をとつているものに【5】がある。

【4】「控訴人は労働組合はその本質上、自己の名をもつて、組合員たる労働者が使用人に対して有する労働契約上の権利を、裁判上、又は裁判外において行使する権能すなわち実体上は管理権訴訟上は訴訟追行権を有するように主張するけれどもたやすく是認し難い。というのは労働組合法は勿論その他の法令においてもかかる権能を認めた規定を発見し難く、かえつて、労働基準法第二五条（筆者注—二四条の間違いであろう）第五九条によれば労働者以外の者は労働者の労働契約上の権利たる賃金請求権について行使の権能を有しないことを認め得るから、反対に解釈するを相当とし従つて控訴人は本件において訴訟追行権を有しないものといわねばならない。従つて本件仮処分の申請は本案に入つて、仮処分請求権の存否を決する前提を欠いておつて許すことのできない却下すべきものである」（川崎重工業仮処分控訴事件、大阪高判昭二四・一〇・一四労働資料七・二六三）。

【5】「凡そ賃銀請求権は労働者個人の権利であり其の支払に付いては労働基準法第二十四条によるも直接労働者に支払うことが必要であつて申請人組合に於いて右賃銀受領権限を有する特段の事情が認められない本件に於ては労働者個人でない申請人の支払請求権は認められないので申請人組合の委任を受けた弁護士寺田熊雄に対する賃銀支払及び右賃金の申請人組合員に対する支給を命ずる仮処分を求める申請は之を却下すべきも

のである」（吉川製材仮処分事件、岡山地決昭二四・一一・九労働資料七・二〇〇）。

これらの判例に対しては次のような点から問題にされている。すなわち「他人の権利を訴訟代行する権能は、本人の権利を処分する権能であり、而も訴訟代理の弁護士強制の制度や信託法第一一条との関係から、単に当事者の合意あるを以て足らず、必ずその訴訟上代行を許容する法律上の根拠あることを要するとする訴訟法上の通説に対し、私も少しの異論もないのである。ただ右消極説が、労働組合において組合員の権利を処分する権能を認めた規定がないと、直ちに断言し得るかどうかについて疑を持ったのである。すなわち、これを肯定する明示の規定はなくても、労働法全般の趣旨から、これを理論上確認し得ることも一概に否定し去り得ないものがあるからである」（柳川―高島・労働争訟一五〇頁）というのである。この点については後に検討することにする。

以上挙げたように消極説もかなりあつたが、下級審の大勢は積極説に傾きかけていた。ところが次の【6】共同通信事件についての最高裁判決が消極説をとつたため、消極説が決定的となつてしまつた。

【6】「なお職権を以て調査するに、本件仮処分申請は本件解雇無効確認の訴を本案の訴とするものであることは、抗告人等の主張自体によつて明白である。果してしかりとすれば、その訴は相手方と全日本新聞労働組合共同支部以外の抗告人との間に、雇傭に基く法律関係のなお存続することの確認を求めるものに外ならないのであるから、特段の事由のない限りその法律関係の当事者の外に、その法律関係につき何等の処分権をも有しない右労働組合共同支部に、かかる訴を遂行する権能を認むべきものではない。従つて右組合にこの訴訟追行権あることを認むべき特段の事由について何等の主張もない本件においては、右組合共同支部は、本案の

訴につき当事者適格なく、また、その本案判決執行保全のためにする本件仮処分申請についても、全く同様の関係にあるものというべく、該申請はその内容の当否を調査するまでもなく、不適法として排斥せざるを得ないのである」(共同通信事件、最決昭二七・四・二民集六・四)。

この判例については議論が百出したが、「尤もこれは特別抗告でただ違憲問題を取上げるべき抗告の手続きでありますから、その際たとえ職権調査であつても、原決定を取消して申請を却下するということまでするることは適法であつたかどうかということの問題は別にあるわけでありますが、とにかくこの事件について組合員の解雇について組合にはその法律関係を訴訟に持出す適格なしという原則を認めたことになつておるわけであります」(兼子一「労働組合の訴訟当事者適格」討論労働法一四号、民事法研究二巻二二八頁)とされている。

しかしさらに次のような問題点もあろう。すなわち、この判例は「ただ『特段の事由のない限り』とか、『右組合にこの訴訟追行権あることを認むべき特段の事由について何等の主張もない本件において』などという抽象的・一般的な表現を用いて、事情次第では、労働組合が叙上のような確認の訴(従ってそれを本案とする仮処分申請事件)の当事者適格をもつ例外の場合のあるであろうことをほのめかすと同時に、この「特段の事由」は労働組合側において主張する責任(従って立証する責任)をもつことを明かにしたに過ぎない。かように、最高裁が「特段の事由」としてどんな具体的な場合を想定したかは遂にこれを把握するに由がないけれども、下級審がこの判例の立場に従う限りは、右の『特段の事由』とは何を指称すべきかを、具体的に探求する必要に迫られることになつたのである」(吉川大二郎「労働組合の当事者適格」末川還暦記念論文集二六二頁)とすれば、さらに今後検討されるべき余地は残されていることになる。

さらに、肯定説をとつた判例の中には組合自身の利益のために組合員に属する権利の行使を訴求することを認めたものが多かつたにもかかわらず、この最高裁判決が訴訟代行権に関する理由だけを挙げているのに対して、「組合員個人に属する権利の内でも、例えば仮に賃料請求権の実現の如きは、多少の疑問の点があるとしても、組合と組合員との権利義務が密接に融合している労働組合関係を考えると、特に個々の組合員の解雇無効確認を求める訴訟は組合員の保護の任に当る組合にとつても、緊急の関心事であり、特に有力な幹部組合員を失うことは組合自身にとつても著しい損害となるのであつて、この確認の利益は、単に被解雇者自身の利益に過ぎぬもの、或は単なる事実上の問題であり、法律上の利益に非ずと、断言し得るであろうか。原裁判所が組合に右管理権の存在することを前提として組合の当事者適格を認めた場合ならともかく、本件は最高裁判所が職権を以て当事者適格の当否を判断したのであるから、単に訴訟代行権の問題としてのみ本問を取扱い、前記のように、むしろ当時多数説ともいうべき組合固有の利益に基く当事者適格の肯定説に対し少しも触れるところのなかつたのは、残念である」（柳川他「全訂判例労働法の研究」下巻一五八三頁）と評しているものもある。

また「最高裁の右の決定に対して労組法を理解しない個人主義と批評する人もあるであろう。わが国の労働法学は基本としての労働者の人格を、いわゆる『個別的労働関係』において考慮するだけで『集団的労働関係』においてはその基本が捨てられる。個別的労働関係と集団的労働関係の統一がなく、両者はただ対立するだけである。何故そのような考え方が支配的になるかというと不当労働行為や協約の効力についての現行制度を、さらに集団的労働関係の現実を表面的に直接的に理解するからである。その結果として、労働力は法的直接的にあくまで個人労働者のものであり、彼の自由に属することを看過し労働力は法的にも組合のもの、組合の支配に属するかのように考えるようになる」（三宅正男「新聞社の赤追放と雇傭の存否についての組合の当事者適格」季刊労働法六号）とするものもあるが、この考え方は労働者の個人的自由が集団的労働関係のうちで実現、具体化されていく点を見過つているといえよう。詳細は後述。

ともあれ最高裁の前記判例が出てからは、消極説が支配的となつた。たとえば、【6】の趣旨を敷衍したものとして次の判例が挙げられる。

【7】「思うに労働組合が、労働者の経済的地位の向上をはかるために、組合員の労働条件について使用者と団体交渉をなし、また使用者との間に労働協約を締結する権能が認められていることはいうまでもない（労働組合法第一条、第六条、第十六条等）。このようにして組合は労働者個人の経済的地位の向上をはかる機能を法律上与えられてはいるが、進んで使用者との間に労働者の雇用契約を締結し、これを終了させることはもちろん、すでに発生した賃金、退職金などの労働契約上の具体的権利義務について管理処分をなすことは現行法上もつぱら労働契約の主体である労働者個人の自由に委ねられているのであつて、組合が当然にこのような権能を有するものではなく、また組合が当然本人に代つてこれをなし得るものとは解せられない。従つて特段の事由の主張もない本件においては、申請人組合は、申請人田中、戸張、青木個人の雇用関係の存続することの確定を求める本訴を前提とする本件仮処分申請につき、当事者適格を有しないものというべきである。

申請人らは、この点について、不当労働行為である解雇は、組合の団結権を侵害するものであるから、不当労働行為を理由とする解雇無効を主張する場合は、組合は、組合員個人に対する解雇について、その無効確定を求める法律上の利益を有すると主張する。

解雇が組合の団結を侵害する不当労働行為であると主張される場合、組合員に対する右解雇の効力の有無、従つてこれにもとづく組合員の雇用関係の存否について、組合が重大な利害関係を有することはもとより否定できない。しかしながら、仮に組合が解雇無効確定につき勝訴判決を得たとしても、それはあくまで組合と使用者との間で解雇の効力を確定するに止り、その既判力を被解雇者本人に及ぼし得ず、組合も本人も右判決を前提として個々の労働者に対する労働契約上の義務の履行を使用者に求めることもできないのであるから、結局解雇せられた労働者を救済し、不当労働行為を排除する目的を達することはできない。却つてこれによつて同一の雇用関係について異る内容の判決を競合させるおそれもあり、無用に法律関係を錯雑させるだけである。むしろ解雇せられた労働者個人に解雇の無効を主張させることの簡明なのに如かない。不当労働行為による解雇の場合には、解雇せられた本人に解雇無効の主張を許すことによつて、組合の団結権は保障せられるし、また組合は、組合員個人のかような訴訟を事実上支援することによつても、十分その目的を達し得る。

従つて他に特別の事情の主張のされていない本件では、不当労働行為を理由とする解雇無効の確定についても、労働組合は訴の法律上の利益を有せず、これを前提とする本件仮処分申請についても、申請の利益を有しないものというほかはない。

もつとも、労働組合が、不当労働行為である解雇により、その団結権を侵害されたことを理由として、組合自体の権利の行使として、損害賠償を求めるとか、あるいは侵害の排除を求める給付訴訟を提起し得ることは、現行法上も一概に否定すべき理由はない。しかしながら、本件申請においては、申請人組合は、申請人田中、戸張、青木個人に対する解雇の無効確定の本訴を前提とする解雇の効力停止の仮処分を求め、またその理由において右解雇の無効確定を求める組合員の権利を組合が行使する旨主張するなど、申請の全趣旨から見て結局申請人田中、戸張、青木個人の雇用関係の存否確定を対象とする本訴を前提とするものと解するほかはなく、雇用関係の存否の確定は組合の権利に属しないこと前に説明したとおりであるから、これを求める本訴を前提とする本件仮処分申請について、申請人組合の当事者適格を肯定することもできない」（協和会市原病院仮処分事件、東京地決昭二七・一二・一一労民集三・六・四九八、同旨、駐留軍横須賀米海軍基地事件、東京地決昭二八・四・一〇労民集四・二・一七五）。

その後の次の判例も訴訟信託による理論を否定しながら消極説をとっている。この事件においては、組合規約に訴訟信託の定めがなく、組合大会で訴訟をする権能をとくに付与されている（したがって後述の肯定説（二）具体的な授権があれば認める説では、当事者適格があることになる。）。また申請人井田茂正は、会社の従業員で、全員解雇された組合員四九五名により当事者として選定されている。

【8】「そこで先ず、解雇無効確認請求について、組合に当事者適格があるか否かについて考えてみるに、解雇無効確認の訴は会社と被解雇者である別紙四九五名各人との間の雇傭契約に基く法律関係のなお存続することの確認を求めるものに外ならないからその法律関係の当事者とはいえない労働組合に、現行法上、当然かような法律関係について、これを管理処分する権能を認める根拠に乏しいものといわざるをえない。

また申請人組合は本件仮処分申請は、組合員である別紙四九五名から訴訟をなす権能を組合大会に於て特に附与されたものであると主張するが、かような訴訟信託については組合規約にこれを規定した定めはなく、また、現行法上、法律の規定に準拠せずして単に当事者間の任意的な訴訟信託によつて第三者に訴訟追行の権能を認めることは、弁護士代理の原則、信託法第十一条の法意に照し許容し難いところであるといわざるをえない。しかのみならず別紙四九五名は他方において、申請人井田茂正を選定当事者として本件仮処分申請に及んでいる点から考えても申請人組合の右主張は当を得ないものというべきである。

なお申請人組合は、本件解雇の如き全従業員の解雇は、従業員を以つて組織する組合にとつては重大な利害関係を有するから申請人組合は組合の団結権を擁護するために、その組合員である別紙四九五名の解雇の効力の確定を求める法律上の利益があると主張するからこの点につき考えて見よう。

本件解雇が被申請人会社の従業員全員の解雇であること及び申請人組合は右従業員を以て組織する法人格を有する労働組合であることは当事者間に争なく、……申請人組合の組合規約には、「この組合は被申請人会社の従業員を以て組織する。」「従業員はすべて組合員とならねばならない」旨の定めがあることが認められる。かような規約の存する場合には、解雇せられた者は、その解雇の効力を争わない限り、賃金、退職金等の支払の終了を以て、当然組合員たる地位を失うものと解すべきであるから、かかる場合においては、組合は、従業員全員解雇によりその全構成員を失うことになり組合員自体の存在まで否定される結果となるが、本件の如く、被解雇者がその解雇の効力を争つている場合には解雇の有効なることが確定する迄は、当然には組合員たる地位を失わないものというべきであるから組合もまたその限りに於て、構成員を失うことなく存続するものというべく、従つて申請人組合は、本件解雇の無効確認を求むべき法律上の利益を有しないものと解すべきである。しかのみならず、かような場合においては、被解雇者本人に解雇無効確認の訴を許しそれを支援することによつて、組合の団結権は事実上保障せられるのであるから、特に組合自身がその訴を提起する必要もないわけである。

次に、労働協約書に署名又は記名押印を求むる訴訟につき申請人組合に当事者適格を有するか否かにつき考えてみるに、協約締結当事者間に最終的妥結をみてその協定事項が成文化したにも拘らず、それに署名をなすべき段階に至つて当事者の一方が不当に署名又は記名押印を拒んだ場合には相手方はその署名又は記名押印を、民事訴訟によつて訴求しうるものと解せられるから、協約当事者である申請人組合は右請求を被保全権利とする本件仮処分申請について当事者適格を有するものと考える」（日本海重工事件、富山地判(仮)昭二九・五・一五労民集五・三・二二七）。

また、王子百貨店事件についての、東京地決(仮)昭二九・七・一二労民集五・三・三一一、および同控訴審の東京高決(仮)昭二九・一一・二九労民集五・六・七〇二は右の最高裁の立場にそのまま従つている。

しかし労働委員会の救済申立棄却の取消を求める行政訴訟にまでこの立場を拡張するのは飛躍であろう。たとえば、

【9】「おもうに労働組合の使命がその組織力により労働者の経済的地位を向上し、権利を保護するにあることはいうまでもないけれども現行法上労働組合はその労働者個人と使用者間の法律関係については、たとえ当該労働者が組合員であつても特段の事由のない限りはその労働契約(雇用契約)上の法律関係につき何等の処

分権を有せず従つてまた訴訟遂行権も有しないといわなければならない。ところで本件の訴訟物は前記委員会のなした行政処分であるが、右行政処分の対象は訴外東北電力株式会社よりその従業員である訴外武藤助太郎間の昭和二十七年九月二十四日の賃銀に関するものであるから、右は使用者と労働者個人間の労働契約上の法律関係であると考えるのが相当である。そうだとすると右については原告に処分権がないこと前示のとおりであり、又原告に訴訟遂行権あることを認むべき特段の事由について何等の主張がない本件においては、原告は訴訟遂行権を有せず、従つて正当なる原告適格を有しないものといわねばならない」（東北電力秋田支店不当労働行為救済申立棄却命令取消請求事件、秋田地判昭二八・九・一六労民集四・五・四四四）。

としているが、組合は組合員個人に関する不当労働行為について労働委員会に救済申立をすることができるから、この行政訴訟において当事者適格なしとするのは不当である（同旨、柳川他・全訂判例労働法の研究下巻一五八四頁）。⑴ところが否定説をとりながら、確認の訴を提起する場合には、給付の訴と異なり、訴訟物たる権利または法律関係の当事者でなくても、その存否を確定する法律上の利益をもつ場合には当事者適格があるとする判例が、比較的最近現われた。すなわち、

【10】「原告は原告組合員たる別紙第一表表示の被告等従業員と被告等との間における労働契約関係につき賃金計算の基礎が別紙第二の通りであることの確認を求めているものなるところ、元来労働契約関係につき処分権を持つ者はその当事者たる使用者と個々の労働者以外にはなく労働組合はその所属組合員についても組合員の権利を処分する権能を持ちえないことを原則とする。従つて組合員自身の権利については労働組合は原則としてこれを行使するための訴訟をなすを得ないのであるが、確認の訴は給付の訴と異なり訴訟物たる権利又は法律関係の当事者でなくても、これが存否を確定する法律上の利益を持つ場合には当事者適格をも肯定すべきものである。本件において原告は別紙第一表表示の者が原告組合員であり、且つそれぞれ被告各会社の従業員であること、原告組合と被告等との間には原告主張の労働協約が厳存しこの協約は労組法第一四条の要件を

欠くが故に一般的拘束力は持たないが規範的効力を有することを前提として右従業員と被告会社等との間の労働契約中賃金基準が別紙第二の通りであることの確認を求めているのである。而して被告等はかかる協約の存在を争い原告主張のような賃金基準が有効に存することを否定しているのであるから、本件の争に於ては組合員の労働関係の確認と組合の任務たる団結権擁護の要請とが法律上直結しており、原告組合は組合と会社間の労働協約履行の必要上本件労働関係確認訴訟を追行するにつき直接且つ具体的な利益を持つ場合であるということができ、かかる場合には組合員たる従業員と会社との関係に限り右確認の利益があり、従つて又組合の当事者適格をも肯定すべきものである。被告は本訴の確認の利益の存在を争い、原告の確認を求める法律関係の一部は過去のものであること、及び原告の確認を求める賃金基準と現実に被告会社等において行われているそれとは異ならぬことを確認の利益不存在の主張の根拠としているが、原告が昭和二九年九月一日以降の労働契約関係の確認を求めているのは、原告主張の労働協約の効力がその時に発生した経過を明にしているにすぎないもので、原告の主たる目的とするところは、現在の労働協約関係の確認にあるものというべく、又現在被告会社等に施行せられている賃金基準が原告の確認を求めるところと偶一致しておるからとて、そのことは被告会社等が労働契約の履行として即ち義務付けられてかかる賃金基準による支給をしているものとは限らず却て本訴において被告はかかる労働契約関係の存在を否定しているのであるから確認の利益なしということをえない。即ち原告はその組合員に関する限り本訴確認の利益を有し従つて当事者適格をも有するものなるところ、被告は主文第一項掲記七名は本訴提起後原告組合より離脱した旨主張するに対し、原告はこの事実を明に争わないから自白したものと看做され、従つて右七名に関する限り、原告は本訴を提起するに付き当事者適格を欠き不適法として却下を免れず、その余の者に関しては本訴は適法である」（明治屋食品工場事件、大阪地判昭三三・四・一七労民集九・二・一五七）。

なお、最高裁は川崎重工業事件（【4】の上告審、最判（仮）昭三五・一〇・二一民集一四・一二・二六五一）において簡単に控訴審判決を支持して、否定説を固執した（この判例批評として吉川大二郎「労働組合の当事者適格」民商法雑誌四四巻五号参照）。

次に、学説としては石井教授が否定説の立場をとっていられるが、「各個人に具体的に確定した権利の管理処分については、その個人の実現にまつということが従来の私法秩序ないし訴訟法秩序の原則であつて、それについての例外は具体的な事例につき明示的に規定するというのが、少くとも、個人主義的な資本制法秩序の建前である。ようやく発達したわが国の労働法秩序のもとにおいても、労働組合主義による団体主義はむしろ、それを前提とし、ただすべての労働者の共通の利益に必要な限りで、ある程度に団体主義を採用しているにすぎない。……しかしさればといつて労働組合が認められ、労働協約に前述のような効力が法定されているということから、直ちに組合に右のような、給付訴訟実施権限があるとすることには飛躍がある。もとより私も、個々の労働者の具体的な権利を不当に侵害することのないようにする法的手当を整備することを前提として労働組合に右のような訴訟実施権限を認めることは、立法論としては充分に考慮すべき方式であると考えている。しかしこうした法的手当をも予定していない実定労働法制のもとにおいて、従来の私法秩序ないし訴訟法秩序からは一般に否定されていることを簡単に解釈によつて認めることには賛成しえない」（石井照久「労働組合の当事者適格」労働問題研究四四号、同「労働判例の最近の傾向について」日労研資料四巻四〇号）としている。また黒川小六氏も、労働組合は実質的帰属主体でないとして否定説をとつている（黒川小六・労働法上の諸問題三〇一頁、同「労働組合の当事者適格」日労研資料四巻四号、同「再び労働組合の当事者適格について」日労研資料四巻二三号）。

さらに、肯定説、否定説のいずれに属するかはかなり微妙であるけれども、基本的には否定しながら若干の場合に認める立場に、兼子一、吉川大二郎、両教授の説がある。

兼子教授によれば、「一般的には組合が当然その組合員の具体的な権利関係、例えば賃金なり退職金の支払いであるとか、あるいは組合員が解雇されたという場合の解雇の有効、無効を争うような訴訟をするということ自体は組合の管理権に入らないので、組合が当然にその組合の名前でもつて訴訟するということはその適格がない」けれども、取引の必要から自分の権利を他人の名前で行使させることが取引上特に必要な場合に認めることは、わが法の解釈としても可能である。したがつて結局、「組合員たる身分から直ちに、組合員の労働関係から生じた権利について、既に発生してしまつた権利関係について、あるいは法律関係について訴訟するという資格はない。しかし個別的に組合員から頼まれれば、あるいは組合員でなくても組合員であることに基いて発生したような当時の権利関係であれば、組合としてこれを引受けて訴訟するというそういう意味の適格は認める。そういう意味の組合の当事者適格は法定訴訟担当としては認められないけれども、任意的訴訟担当としては認められる」（兼子一「労働組合の訴訟当事者適格」討論労働法一四号、同・民事訴訟法研究二巻二二二頁以下）と結論している。兼子教授のこの立場は、「権利の帰属主体が、その管理処分の権能を他人に授権するについて、正当な業務上の必要があれば、許すべきであると考える。判例も無尽講の講元又は会主の講関係の債権、債務についての当事者適格を認めている」（兼子一・民事訴訟法体系二六一頁）という理論にもとづくものであるが、この「取引上の必要」あるいは「業務上の必要」があつて個別具体的に授権があれば任意的訴訟担当として認めてよいという見解に対して、吉川教授は次のように批判している。すなわち、「同教授のいわれる『取引上の必要』とは何かについては必ずしも明かではないが、この見解に従うとしても、組合員がその既に具体的に発生した賃金請求権とか又は労働契約関係につき管理処分の権能を組合に授権すべき取引上の必要は、頼母子講などの場合とは異り、これを肯定することは無理であろう。……かような見解に従うならば、訴提起前又は訴訟繋属中に当該組合員が個別的具体的に授権すればいつでも組合は当事者適格をもつことになり、任意的訴訟を是認し弁護士法や信託法の趣旨に反する結果となるのみではなく、その取引上の必要とは、前記の如き訴訟の実際的必要のみを強調する便宜論と殆んど異るところがないのではなかろうか」（吉川大二郎「労働組合の当事者適格」末川還暦記念論文集二六六頁以下）というのである。

要するに吉川教授によれば、「当事者適格のうち、組合員のため、又は代つて訴訟を追行するいわゆる訴訟信託によるものは、それが法定訴訟信託であると任意的訴訟信託であるとを問わず、ことごとく否定すべきであ」り、組合が自己自身のために、組合員の権利または法律関係に関する訴訟を追行する権能は一般的にはこれを否定すべきであるが、「組合と使用者間の労働協約（又はこれに準ずる協定）の履行その他の必要上、この種訴訟を追行する直接且つ具体的な利益をもつ場合には」、前記最高裁の判例にいわゆる「特段の事由」ある場合として、例外的にこれを肯定できる。「そして、この場合は、賃金等の支払を求むる訴訟やその処分のように、給付の請求にあつては、殆んど稀であるに反し、従業員たる地位の確認訴訟やその地位保全仮処分にあつては、事の性質上、比較的に多いといえる」（吉川・前掲二七四頁以下）ことになる。

以上が否定説の主要なものであるが、これらの説の難点は、訴訟上正当な当事者の問題が、その当事者の実体法上の権根いかんにあり、したがつて労働法上労働組合とその組合員との関係を究明することにあるにもかかわらず、この視野からの解明がかならずしも十分でない憾みがあることである。この点については後に詳論するが、最高裁の前記判決は「特段の事由のない限り」また「特段の事由について何等の主張もない」かぎりは当事者適格がないとしているのだから、逆に特段の理由があつて、また特段の理由について主張・立証すれば、当事者適格が認められる場合もありうることを示しているとみる余地がある。兼子教授のいわゆる「取引上の必要」とか「業務上の必要」も、これを理論的に構成したものとみれないこともないが、吉川教授のように「当該訴訟前又は繋属中において、当該権利又は法律関係の帰属主体たる組合員が連名にて組合に訴訟実施権を与える旨の意思を積極的具体的に表示した、という事実があつても」認められず、労働協約の履行その他の必要上、訴訟を追行する直接且つ具体的な利益をもつ場合にだけ例外的に肯定できるとするのは、実体法の解釈として狭きに失しはしないだろうか。もちろん弁護士代理の原則(民訴七九)や信託法第十一条の趣旨を無視するがごとき放恣な解釈は許されず、また石井教授がいうように「観念的な労働法の特異性の主張のもとに、安易な解決に甘んずるという傾向」があつてはならないが、さりとて労働組合の本質を無視するような解釈態度を固執することもけつして妥当とはいえないであろう。問題は、今日のような労働組合の登場を予想していなかつた訴訟法と労働法とをどう調和させ、矛盾なく解釈するかである。このような観点に立つとき、実体法上の要請があつて、しかも訴訟法上の原則を崩すおそれのない場合として、どこまでこれを認めうるかが、具体的に検討されなければならない。

(一) 羽田駐留軍事件、都労委命令昭三一・三・一は、「労働組合法及び中央労働委員会規則には個々の組合員に対する不当労働行為についてその救済申立をなし得る者の範囲についてはこれを明かにしていないが、労働組合は法第五条第一項においては労働組合が同法に規定する手続に参与するためには同法第二条及び第五条二項の規定に適合することを立証することを要する旨を規定し、組合がその資格審査において適法と認められる限り前記手続に参与し且つ同法の保護を受け得ることを明かにしているから、民事訴訟法上の訴の当事者適格の問題は格別、労働法上の救済を労働委員会に求める手続においては個人の組合員のみならず組合もまた当事者適格を有するものというべく、またこれを実質的にみても組合員に対する差別待遇その他の不当労働行為は同時に組合の団結に対する侵害であるからこの意味においても組合は前記救済を受けるについて正当な利益を有するものといわなければならない。蓋し不当労働行為の制度の下においては組合が申立権者として申立人たる当事者適格を有するというのは、組合員個人の権利関係や身分について組合が管理権もしくは代理権を有するという論理を前提とするものではなく、団結の擁護のために組合に認められた組合独自の権能に基くものである」としている。

二　肯定説

(イ)　労働組合の本質・目的から法律上当然に管理権があるとするもの、あるいは組合自身の利益として、組合員に属する権利の訴求を認めるもの

【11】「労働組合の使命が、労働条件の維持改善及び労働者の権利の保障は、全体として経営権の指揮の統御に服する従属労働を経営者に対抗する組織にまで結集し、その組織を媒介とし、その組織力によつてこれを実現するという仕方により行われる。

加うるに、労働組合が労働者の権利を確保することによつて、企業(経営)の生産性の昂揚に寄与するという機能をいとなむことも考慮にいれれば、労働者の権利を保護することは、その権利が労働協約上のものたると労働契約(雇傭契約)上のものたるとを問わず、当該労働者個人の関心事たるのみならず、その属する労働組合の重大な利害に関係する事項たるのである。かくて、労働組合は、使用者に対し、労働協約上の義務の履行並びに違反行為の除去に必要な行為を訴求し、または、組合員全体の労働契約に関する事項（本件労働協約並び

に就業規則が申請人組合所属の組合員に適用せらるべきことを求める部分は、これに該当する）に付き、訴訟追行し得るはもちろん、労働契約上の義務の履行並びに違反行為の除去に必要な行為の請求（本件休業手当等の支払を求める部分は、これに該当する）もしくは、労働契約上の地位の確認に付いても、個々の労働者のために、その訴訟を追行し得る適格がある、というべきである。

後の場合、その判決の既判力は、個々の労働者にも及ぶと解すべきであるが、個々の労働者もまた当事者たる適格があるといえるから、結局両者の間には、類似必要的共同訴訟の関係が成り立つ、というべきである」（日本油脂事件、東京地決(仮)昭二四・一〇・二六労働資料七・三二七）。

【12】「規範的効力による具体的な義務の履行を求め得るものは、その債権者たる個々の職員である。従つてその職員が申請人組合の、組合員であるならば、申請人組合はそのもののために被申請人公社に対し、その賃金請求権を行使することができると解すべきである。けだし、組合員は、団体的自治によつて具体的な自由を獲得するためその個別的意思を団体的意思の統制のもとにおき、労働組合の団体的組織を媒介として、その労働条件の維持改善を図ろうとするものであつて、その反面に於いて労働組合は、組合員の意思に対して、実質的な統制力をもち、それゆえ、組合員の権利につき、これを保障するために管理または処分の権能を有するといい得るからである。（なお当庁昭和二十四年(ヨ)第二一八五事件決定、昭和二十四年十月二十六日言渡参照）従つてかかる団体的統制の存しない職員(非組合員)の権利については、特別の授権のない限り、申請人組合に於て、管理または処分の権限を有せず、その賃金債権の履行を求める訴に付いては当事者適格を有しないというべきである」（日本国有鉄道事件、東京地判(仮)昭二五・二・二五労働資料八・一八一）。

【13】「労働組合は、その組合員の地位の向上を図り、その権利を保護、保障するために、団体行動にうつたえるのであるが、このことは、労働者が組合に対し自分の力では及び得ない労働条件の決定その他使用者との交渉を一任し、正当な事由なくして、個別的な行動をとらないこと、又とるべからざることを意味する。そうして、組合の団体行動にゆだねられるべき事項は、単に労働条件を決定することのみにとどまらず決定せられた労働条件に従つた債務の履行を求めるところまで及ぶと解するのが相当である。なぜならば、契約の締結から、

その実行にいたるまでの全段階について労働組合の関与を認めることが、労働者の権利を保護するという目的にかなうからである。この点に関し、被申請人は、個々の労働者が既に取得した権利(たとえば賃金債権)については、その労働者だけが管理又は処分の権能があり、労働組合は、特に授権せられた場合に限り、労働者のためにこれを行使し得るにすぎない、と主張するが、さきに叙べたような労働組合の機能にかんがみれば、むしろ、組合が団体の組織力によつて権利を実現しようとしている場合には、組合員は、原則として、その組織的行動に従うべく(従つて組合はその組合員の権利を保障するためにこれを管理することとなる。)組合の統制を免れようとするならば特別の意思表示をなすべきものと解すべきである。……而して、この場合労働組合は、その組合員のためにすると同時に、自己の権限として組合員の権利を行使するものといわなければならない。けだし、労働組合が組合員の権利を行使するのは、一面において、組合そのもののために認められた団結権を擁護する意味をも含むものだからである」(日本国有鉄道事件、東京地判(仮)昭二五・四・一九労働資料八・一五九)。

【14】「所属組合員が使用者から懲戒解雇の処分に付された場合、これが無効なる旨主張し、地位の保全を訴求するにつき、労働組合が被解雇者とは独立に当事者としての適格を有するものと解する。それは一般に労働組合の本質的目的から、そうなるのであるけれど、被解雇者本人の意に反してまで訴訟追行できるわけのものではない。

本件申請をするについて、申請人組合員の総意に反するものとの疎明はないので、一応組合代表者において組合の名において本件申請をすることは適法といえる」(広島電鉄事件、広島地判(仮)昭二五・五・一一労民集一・追・一二五八)。

【15】「労働組合は、個々の労働者の力を結集して社会的経済的優位にある使用者と対等の立場に立ち、団体行動を通じて労働者の生活の維持改善、地位の向上を計ることを目的とする。個々の労働者は、労働組合を結成してその統制に服し、団体の力によつてよく自己の利益を擁護することができるのであり、労働条件の改善その他労働関係における労働者の諸要求を団体交渉に移してその達成に努め、労働者の利益保護に当ることは、労働組合本来の任務に属するのであるから、労働組合は、労働者の利益のために使用者と団体交渉をするのみでなく、その交渉の結果成立した協定の履行を請求し、労働者の利益実現の為の必要な一切の行為を為し

うべきことは、右労働組合の使命に照し当然の帰結といわなければならない。

労働組合法第六条には、労働組合の代表者は、労働組合又は組合員のために使用者と労働協約の締結その他の事項に関し交渉する権限を有する旨規定している。これによつて見るも、労働組合が自己固有の権限として個々の組合員のために使用者と交渉し、組合員の有する権利の実現を請求しうること明かであるから、組合員が明かに反対の意思を表明した場合を除き、その有する賃金債権につき、労働組合は、使用者に対し各組合員に直接賃金の支払わるべきことを請求する権能を有するものといわねばならない。それ故、被控訴組合は、本件仲裁々定に基く各組合員の賃金債権につき、訴訟行為を為す適格を有するのである」（日本国有鉄道事件、東京高判(仮)昭二五・一一・二八労民集一・六・一一六四）。

【16】「一般に労働組合が、使用者に対し、その組合員に賃金の支払等、個々の労働契約上の義務の履行を請求するということの理論構成には、二つの立場を考えることができる。その一は、労働組合が、その組合員の有する賃金請求権について、管理処分の権能を有し、その権能に基いて組合員の権利を行使し、使用者に対し賃金債権の履行を請求するという考え方であり、その場合判決の既判力は、個々の組合員にも及ぶこととなる(これを「組合員に代つて」訴訟を追行するということができる)。その二は、労働組合は、組合員の権利を行使するわけではないが、労働契約の履行につき、個々の組合員が個別的に使用者に訴求するときは、技術上、経済上の理由に基き、実効を収め難いので、使用者に団体的に訴求するの必要があり、他面労働組合は、その組合員の権利を保護すべき法的義務を負つているので、その義務を果すため、団体行動の一つの現われとして、訴訟を追行するという考え方であり、その判決の既判力は、個々の組合員には及ばないのである（これを「組合員のために」訴訟を追行するということができる)。

この二つの考え方のいずれを採るかは、労働組合の機能、ことに労働組合が組合員に対し、いかなる程度の統制力ないし管理処分の権能を有するかということをどのように理解するかによつてきまるところである。

まず、労働条件の決定及び変更について、労働組合が管理処分の権能を有することは、労働組合法第十六条から明かなところであるが、労働組合の統制のもとにおかれている労働契約（労働協約を締結していない場合は、組合が、個々の労働契約で十分であるとして、これを承認していることに他ならないから、協約がないからといつて、労働契約が組合の統制下にないとはいえない。）に基いて具体的に発生した債権についてまで、管理、処分の権能を認めることは、一応現行法上困難であるといえよう。

しかしながら、労働者の保護を完全ならしめるためには、労働条件の決定から、その労働条件に従つた契約の履行にいたるまでの全段階について、労働組合の関与を認むべきであり、それゆえ、組合の団体行動にゆだねらるべき事項は、右に述べたすべての段階に及ぶと解するのが相当である。このことは、労働組合の代表者は『組合員のために』団体交渉をなし得ることを定めた労働組合法第六条、労働協約から発生した諸問題、ことに、協約の解釈、執行、苦情処理が団体交渉の対象となるとする米国労働関係法並びに判例等に徴し明かである。かくて、労働組合は、その『組合員のために』賃金等の支払を求める義務を負い、且つ、それが使用者に対する関係においては、権利として認められているのであるから、この権利行使として『組合員のために』訴訟を進行し得るといわなければならない」（日本油脂仮処分異議事件、東京地判昭二六・一・二三労民集二・一・六七）。

右に挙げた諸判例の間にはそれぞれニュアンスがある。すなわち、「組合員に代つて」当然に訴訟を追行できるとするものから、「組合員のために」組合固有の権利として訴訟を追行できることを示しはじめた【11】以下の判例に移つてきていることである。また訴訟法上の効果の点からいつても差が出てくる。すなわち【13】の判例が明らかにしているように、「組合員に代つて」訴訟を追行することを認める場合には、判決の既判力は個々の組合員にも及ぶこととなり、「組合員のために」訴訟を追行することになれば、組合独自の立場からするのであるから、その判決の既判力は個々の組合員には及ばないことになる。この後のような立場は、純粋の意味での労働組合の当事者適格を肯定するものではない、と評する者もある。(一)

しかし、ともかくこれらの立場は、「組合に当事者適格を認めないとすれば、被控訴人組合のように五十数万人の多数の組合員を擁する労働組合において、その組合員が単独若くは共同にて本人訴訟をなす場合は勿論、訴訟代理人によるとしても委任やその適否の調査等、訴訟手続を甚だしく困難ならしめ、民事訴訟が訴訟経済と訴訟促進の見地から、集団的訴訟については選定当事者の制度や権利能力のない社団についてまでも当事者能力を認め訴訟の実行を簡易化しようとしている精神にも反する結果を生ずる」（国鉄裁定第二次事件、東京高判昭二五・五・二四労働資料八・一六〇）という実務的要求のみでなく、さらに理論的にこの問題を究明しようとしたものであるが、なお次のような見解もあることに注意しなければならない。すなわち、「他人のために訴訟を遂行することは、もしその訴訟で敗訴せんか、当該他人の権利を処分することになるために、市民法的訴訟理論は一貫して、これが処分権を有するものに限るとしている。訴訟行為はすなわち処分行為であるとする考え方それ自体、直ちに肯定し得ないものがあるのであるが、特に労働組合とその組合員との関係において、組合が組合員に代つて訴訟遂行することが、いわゆる処分行為として原則として許容されないとする見解に甚だしい疑問を持つ。労組法第六条は、組合の代表者に、組合又は組合員のために団体交渉をする権限を認めている。組合の当事者適格は、この訴訟法上のあらわれに外ならない。例えば一組合員が使用者に対し賃金の支払を求めるにあたり、組合がその名において訴訟を遂行するのが、より強力であることは、特別の事情のない限り何人にも信ぜられることである。組合が敗訴するかも知れないと慮り、或はその他の点から組合の管理権を否定するのは組合と組合員との特殊関係を否定することになり、また組合不信任の思想に通ずる。むしろ逆に組合は特別の事情のない限り組合に代り訴訟遂行権あるものとするのが妥当なのではあるまいか。もし組合員が組合の余計な行為を嫌うならば組合脱退の自由もある。実体労働法では、ユニオン・ショップ約款の正当性を認めている。労働者個人の直接的自由の面を強調するのはいかがかと思われる。……組合員個人に属する権利の内でも、例えば仮に賃料請求権の実現の如きは、多少疑問の点があるとしても、組合と組合員との権利義務が密接に融合している労働組合関係を考えると、特に個々の組合員の解雇無効を求める訴訟は組合員の保護の任に当る組合にとつても、緊急の関心事であり、特に有力な幹部組合員を失うことは組合自身にとつても著しい損害となるのであつて、この確認の利益は、単に被解雇者自身の利益に過ぎぬもの、或は単なる事実上の問題であり、法律上の利益に非ずと、断言し得るであろうか(二)」と。

このほか学説でも、労働条件にもとづいて発生した具体的権利についてまで、管理処分の権能を有するという結論を導きだすことは困難であるとしつつも、労組法第六条が、労働組合の代表者は組合員個人のためにも交渉する権限を有し、またこの権能は労働組合固有の権能であつて、組合員の委任にもとづくものではなく、したがつて労働組合は組合員の賃金の支払等の請求をする固有の権能を有することになり、労働組合のこのような固有の権能を裁判上行使しえないとする根拠はなにもない。要するに典型的な訴訟信託の場合と、組合自ら有する請求権を裁判上行使する場合には労働組合の当事者適格が肯定されるとすれば、理論的にも割合難が少ないし、また実際上の需用に対しても必要にしてかつ十分であるとする佐伯氏の見解がある(佐伯静治「労働組合の訴訟当事者適格—認められる二つの場合」法律時報二五巻一一号)。

もつともこの労組法第六条を根拠にする見解に対しては、吉川教授、黒川小六氏ら（吉川・前掲二七一頁、黒川小六・労働法上の諸問題）三一四頁）の反対がある。吉川教授によれば、組合は団体交渉あるいは争議を行うことができるが、これはどこまでも訴訟外における労働関係としての団体交渉にほかならぬものであるから、法律上厳格な手続を要する正式な手段（訴訟）で裁判所に訴えて権利の実行を為す権能を肯定することは行き過ぎである。というのは、訴訟によつて国家に対し権利の救済を受ける関係は、法の下に平等な裁判を受ける権利に基く対等関係であつて、もはや団体行動とか、団体交渉とかいうような労働関係ではないからである。

これらの見解に対する評価については後述する。

なお、社会規範として当事者適格を認めようとする森長氏の説がある。すなわち「労働組合は、所属組合員の労働者としての地位の向上を主たる使命とする。労働組合はこの使命をはたすために、労働条件その他の労働関係について、団体交渉をなし、労働協約を締結することができる。その労働協約は所属組合員の労働条件を規律する規範的効力をもつていることはいうまでもない。労働組合が結成せられたときは、労働組合は所属組合員の労働関係に関する一切をあずかるものであり、所属組合員もまた、一切をまかせたつもりでいる。……問題がおこれば、何でも組合がやつてくれるということ、ことに重要なことは、解雇無効のばあいにしても、賃金の支払のばあいにしても労働者は利己的な考えで法廷闘争をしようとするのではなく、組合のために、組識をまもるために、組合活動の一つとして法廷闘争をしようとしていること、これが労働者の労働組合にたいする考え方である。そこに団結権の社会規範があるわけである。組合が訴訟の当事者になれないというと、かえって労働者はけげんな顔をする。この社会規範を国家が承認したからといって何の不都合もおこらない」（森長英三郎「労働関係は判例にどう反映しているか」法律時報二五巻六号）というのである。しかし社会規範になっているからといって直ちに訴訟法上当事者適格を認めてよいというわけにはいかない。国家法がこれに対してどういう態度をとっているか、市民法との関係はどうかなどについて検討されなければならないであろう。

柳川・高島氏も、スエーデンの労働裁判所に関する法律、フランスの団体協約および集団的労働争議調整手続法などは「すでに実在する社会規範を法文化したものであると解する。我国の労働組合においても、この趣の規範は実在しており、労働組合法の全趣旨からもこれをうかがい得るものと思う。将来疑を避ける意味において、この趣の立法のなされることは賛成ではあるが、そのない現在においても、同様な法解釈に達するものと信ずるのである」（柳川＝高島・労働争訟一五六頁）としているが、この考え方についても、労働組合法の全趣旨についての説得力ある説明が必要であるといえよう。

(ロ)　労働協約の実行義務より認めようとするもの

【17】「労働組合は使用者に対し組合を構成する組合員の為にその労働条件に関して団体交渉を為し、之に基いて労働協約を締結する権利を有するものであつて、協約が為された以上は使用者が各組合員に対し協約条項に定むる義務を履行すべきことを要求し得るものであることは当然であつて、かかる権能が認められる以上使用者にその不履行又は違反のある場合にはその履行並びに違反行為の除去に必要な行為不行為を訴求する権利を有するものと解すべきである。債権者は債務者会社がその従業員たる組合員に対して負担する前記労働協約に基いて具体的に発生した賃金債務の履行を訴求することを前提として右請求権保全の為仮の地位を定める

ことを目的とする本件仮処分の申請をするものであることは明かであるので債権者にはかかる適格あるものと解すべきである」(日本セメント事件、東京地八王子支判(仮)昭二四・五・一三労民行資六・一〇二、その他、汽車製造会社事件、岡山地判昭二五・七・七労民集一・四・一〇四)。

この判決のように実行義務から説明しようとする立場はかなり多くの者から反対されている。たとえば石井教授の説がそうである(石井・前掲論文)。

また兼子教授によれば、たとえば賃金のベースを上げた協約も、具体的に各組合員の賃金を確定して認めた場合は少なく、多くは率をきめただけであるから、各組合員の賃金について支払を請求するとか、その賃金の確定を求めることまで実行義務だとはいえない。また解雇同意約款に反した場合でも、そういう協約の効力は使用者の解雇権に対する物権的な制限ではないから、直接解雇の無効を主張する訴訟を、実行義務として主張することは不可能であるとしている(兼子一・前掲)。吉川教授も、組合が使用者に対し、自ら、この遵守義務(実行義務)の履行を訴求しうる。しかしこれは個々の賃金等の支払を求めるのではなく、協約を事実上遵守せよという単純な作為義務の履行を求めるだけであるから、賃金等の支払請求訴訟ないし仮処分適格については関係がない、とし(吉川・前掲論文)、黒川氏、佐伯氏、高島氏も同様主張している(黒川小六・労働法上の諸問題三〇七頁、佐伯・前掲論文、高島・前掲論文)。解雇協議約款等の解釈についてはともかく、従来の実行義務の理解の仕方からすれば、これを援用しただけでは不十分といわざるをえない。

(ハ) 一般的・抽象的に訴訟信託があればよいとするもの

【18】「惟うに労働組合は労働者の斯様な債権について法定管轄権を持っている訳ではないから結局の権利者である個々の労働者の意思に基いて所謂訴訟信託があった場合にのみ労働組合がその名に於て労働組合に給付すべきことを使用者に請求することが出来るものと解される。……規約に特に訴訟信託のことが定められて

いないとしても労働者が労働組合を結成し又はこれに加入する意思の中には当然必要な訴訟信託の意思が含まれていると見ても決して事実を誣いるものではなく組合員の意思に反するものでないと云わなければならない」（西日本汽船事件、福岡地小倉支判昭二五・四・三労民集一・一・一〇四）。

この判例は組合規約に訴訟信託についての規定がなくてもよいとしているのに対し、次の判例は、最高裁の判例の出された後のものであるが、組合規約に任意的訴訟信託の定があつて、訴訟信託をした旨の信託書が裁判所に提出されていれば——そのかぎりでは次の㈡説にもまたがる——組合に当事者適格が与えられる可能性を認め、さらに傍論として、使用者の不当労働行為による解雇で組合自身の団結権に対する侵害であるとして提起する解雇無効確認訴訟の場合、その解雇により当然組合員としての地位を失い、組合から脱落せざるを得ないようなときには、組合に当事者適格があるとしている。もつともこの場合、判決の既判力は被解雇者には及ばないという立場をとつている。長くはなるが該当箇所を引用してみよう。

【19】「本件仮処分の本案となるべき訴訟が、西田ら三名に関する解雇無効確認請求訴訟であることは、申請人らの主張によつて明かであるところ、電産がその本案訴訟について当事者適格を有する限り、本件仮処分申請についても亦適格を有すべきことは当然であるから、果して電産に右訴訟の当事者適格があるか否かについて判断する。電産においては西田ら三名がその所属組合員であることを主張しているからそれを前提とすべきところ、およそ労働組合がその組合員に関する解雇無効確認請求訴訟を提起する場合において、組合に当事者適格があるか否かについては場合を分つて考えなければならない。先ず、組合が解雇された組合員の利益を擁護するため組合員に属する権利を組合員に代つて行使し、自らが当事者としてその解雇無効の確認を請求する場合においては特別の事情のない限り、組合に当事者適格を認めることができない。蓋し、解雇無効確認訴

二　肯定論

訟は、使用者と被解雇者との間になお雇傭関係の存続していることの確認を求めるものに外ならないところ、組合としてはその雇傭関係について何ら処分権を有しているわけでもなく、現行法制下においては、紛争のある当該権利又は法律関係の当事者以外の者に対してその当事者に代り紛争解決のための訴訟を提起し追行することのできる権能を認めるのは、特別の規定がある場合に限られるのであり、右のような訴訟の場合に、組合に対してその訴訟追行権を認容している規定は現在のところ何ら存在しないからである。もつとも、労働組合が、労働者が主体となつて自主的に労働条件の維持改善その他経済的地位の向上を図ることを主たる目的として組織せられた団体であり、組合員の利益を擁護するために集団としての力を傾注することを主たる任務とするものであることは、労働組合法の規定に照らして明かであるが、組合がその使命を達成するために活動する本来の部面は、対使用者その他の社会的経済的分野における実力角逐の舞台の範囲内であるに止まり、その範囲外である公的技術的な性質を有する訴訟の部面にまでその活動の権限が及ぶものではないといわなければならない。換言すると、力関係が優位を占める社会的経済的生活部面においては、使用者に対して一般的に弱者たる地位にある労働者の利益を擁護するために、当該労働者に代つて組合が積極的に自らの名において使用者に交渉することが認められるのは当然であるけれども、力関係が何ら支配することなく、只管理法に基き訴訟技術の運用によつて勝敗の決する訴訟の世界においては、紛争権利又は法律関係の当事者である組合員自らが訴訟を追行するとしても事実上何らの不利益を蒙るわけではないから、特に組合に対して当事者適格を認めなければならないとする必要は全くない。そして、仮に組合に当事者適格を認めるとしても、解雇無効確認訴訟における勝訴判決の既判力は、その訴訟の当事者である組合と使用者とについて生ずるのみであつて、被解雇者については生ずる余地がないから、その判決によつては被解雇者が復職することもできず、結局組合としても、当該組合員の利益を擁護するという頭初の目的を達成することができない結果とならざるを得ないわけである。この意味において、組合が組合員の利益を擁護するため組合員に代つて右のような訴訟を提起することは、通常の場合当事者適格を欠くものといわなければならない。しかしながら、申請人らは、本件において申請人西田ら三名が申請人組合に対して右訴訟につき任意的訴訟信託をしているから、申請人組合は当事者適格を有する旨主張するので更にこの点について考えると、現行法制下においても、特別な必要のある場合には民事訴訟について所謂任意的訴訟信託をすることが可能であり有効であると解するを相当とするところ、甲第一号証によると、電産の組合規約第七〇条の規定により、電産の組合員は、被申請人会社に対する自らの訴訟につき、反対の意思表示をした場合を除き、すべて電産に対して任意的な訴訟信託をしていることを認めることができる。そして、組合の使命、任務が前記のような性質のものである以上、組合員が組合に対してその使用者との間の訴訟につき任意的訴訟信託をすることは、特別な必要がある場合に該るものということができるのであつて、組合とその所属組合員という密接な依存関係、換言すると集団とその構成分子といういわば不即不離の一体関係がある限り、信託法第一一条に規定する訴訟行為をなさしむることを主たる目的としてなす信託の禁止、或いは民事訴訟法上の弁護士代理の原則などの立法の趣旨に特に抵触するわけでもなく、それらの諸規定によつて抑制に努めている弊害を発生するおそれは何らないと考えられるから、組合員の組合に対する右のような訴訟信託は何ら妨げなく、それによつてその訴訟につき組合が当事者適格を有するに至ることは勿論である。なおその際においては、その判決の既判力が信託者たる当該組合員と使用者との間において生ずるわけであるから、組合員の利益を擁護するという目的も直接的に達成することができる結果となるわけである。しかしながら本件について考えてみると、電産は被解雇者たる西田ら三名と共同原告になつているのであるから、西田ら三名が電産に対して特に本件について訴訟信託をなした旨の信託書が裁判所に対して提出されていない事実にも照らし合せて判断すると、同人らは電産に対して訴訟信託をするにつき反対の意思表示をなしているもの、即ち、自ら訴訟を追行する決意を有し、組合に対しては信託することを拒んだものであると考えざるを得ない。しかもなお仮に同人らが電産に対して真実に訴訟信託をしたものであるとすれば、本件においては、受託者と信託者がともに当事者として訴訟に関与しているわけであるから、二重訴訟とならざるを得ず、この点からしても同人らが電産に対して本件につき訴訟信託をしたものであるとは到底考えることができない。従つて電産が西田ら三名の利益を擁護するために本件仮処分申請に及んだものであるとする限り、電産に当事者適格のないことは明かである。次に組合員の解雇が使用者の不当労働行為による組合自身の団結権に対する侵害であり、組合が自らの権益を擁護するために、その解雇無効確認訴訟を提起する場合については、以上の場合と稍その事情を異にするものといわなければならない。即ち、当該組合員がその解雇により当然組合員としての地位を失い、組合から脱落せざるを得ないような場合においては、組合は右訴訟について当事者適格を有するものとしなければならない。蓋し、組合が労働者の集団であり、その所属組合員の数の大小が組合の力の強弱を左右する要素の一であることが明かである以上、使用者の不当労働行為による解雇によつて組合員数が次第に減少し、そのため組合の団結が弱化動揺する結果を惹起するような場合に、組合が拱手傍観して何らその防止に努めることができないという法はない。その際、組合は労働委員会に対して救済の申立をするなどの方途もあるけれども、組合としての団結権が既に充分法認されている以上、その侵害に対処して更に直接的な救済方法として解雇無効確認訴訟の提起を認むべきは当然である。この訴訟の判決の既判力は既に述べたように被解雇者に対しては及ばないけれども、この種の裁判上の請求が組合としてその団結権侵害に対し対使用者間において講じ得べき最も有効適切な手段であることは疑う余地がなく、組合がその点について所謂確認の利益を有していることは勿論、他日使用者に対して不法行為を理由として損害賠償請求訴訟を提起するような場合においては、その前提としてこの訴訟の勝訴判決の既判力を直ちに利用することができるわけであるから、解雇が組合員資格を喪失させるときに限り、その解雇無効確認訴訟につき組合が当事者適格を有するものというべきである。これに反して、その解雇が何ら組合員としての資格、地位に変動を生ぜしめない場合においては、組合に当事者適格を認めるべきでない。蓋し、その解雇により組合員の数にも何らの変更がなく組合としては、特定の組合員が現に就業しているか否かという問題に過ぎないわけであるから、仮にそれが不当労働行為による解雇であつて、事実上組合の団結権を侵害する結果をきたす恐れのあるものであつたとしても、組合自らが当事者となつてその解雇の無効確認訴訟を提起することができるとなすまでの影響甚大な緊要事であると考えることができないからである。そして、本件においては、甲第一号証によると、電産は電気事業に従事する労働者で組織するものではあるが、自己の意志によらないで電気事業に従事しなくなつた労働者も引続き組合員としてとどまることができるものであることを認めることができ、解雇された組合員は当然に組合員資格を失うわけのものではなく、現に電産は西田ら三名を引続き電産の組合員としてその組織の統制下におき、その身分保障規定に基き同人らに対して金銭的保障を継続していることは当事者間に争のないところである。そうすると電産自身としては、本件解雇がなされた結果として、唯単にその組合員である西田ら三名が、従来就業していた被申請人会社から解雇されたためその後失業しているという事実が生起したに止まり、組合員数が減少したわけでもなければ、団結それ自体が弱化又は弛緩したという結果を来したわけでもない。従つて、このような場合においては、電産は、組合員たる西田ら三名が提起する解雇無効確認請求訴訟を側面的に事実上援助しその訴訟費用を支出したり、或いは訴訟技術について指示教導したりするなどの方策を講じて、同人らの利益の擁護に務めるべきものであつて、自らが当事者となりその団結権侵害を理由として該訴訟を提起することはできないものといわなければならない。よつて電産は、本件の事情の下において、西田ら三名に対する解雇無効確認訴訟を提起するについて当事者適格をもたず、ひいてはそれを本案とする本件仮処分申請についてもまた当事者適格を有しないから、その申請は不適法としてこれを却下せざるを得ない」（四国電力事件、高松地判(仮)昭三〇・三・一四労民集六・二・一四九）。

この事件においては、最高裁の判例の出た後で実務的にも方向がはつきりつかめなかつたためか、組合の方針にも若干の混乱がみられる。すなわち、組合規約に任意的訴訟信託の規定をおきながら、組合と被解雇者が共同原告になつていれば、受託者と信託者がともに当事者として訴訟に関与していることになるから、たしかに判例のいうとおり二重訴訟となる可能性はある。しかし理論としては、訴訟信託をなした旨の信託書が裁判所に提出されていないからといつて、直ちに被解雇者が訴訟信託に反対の意思表示をしていると解することはどうであろうか。学説にも委任状が必要だとするものもあるから、あながち非難はできないかもしれないが、すこし当事者の意思から離れた解釈にすぎないか。実態関係を審かにしないが、むしろ当事者の合理的意思を慮る余地があつたのではあるまいか。しかし訴の形式としては一考を要するところである。

また前記引用部分後半で、当該組合員がその解雇により当然組合員としての地位を失い、組合から脱落せざるを得ないような場合には組合は当事者適格を有するとしながら、その解雇がなんら組合員としての資格、地位に変動を生ぜしめない場合には組合員の数にもなんらの変更がないのだから、組合に当事者適格はない（この点では【8】の立場に通ずる）。また、かりにそれが不当労働行為による解雇であつて、事実上組合の団結権を侵害するおそれがあつたとしても、組合自らが当事者となつてその解雇の無効確認訴訟を提起することができるとするほどの影響甚大な緊急事であるとは考えられない。組合員が減少したわけでもなければ、団結それ自体が弱化または弛緩したという結果を来したわけでもない、としている。しかし不当労働行為になるような解雇があつたにもかかわらず、組合員が減つたのではないから、団結それ自体が弱まつたわけではなく、組合に解雇無効確認訴訟の当事者適格がないという考えは肯けない。この事件のようにショップ制にからむ問題で解雇の効力が論じられている場合に、このような論理では当事者適格を否定する根拠にならないのではないか。たとえ組合員数は減少しなくても団結権に対する侵害が問題にされているのである。解雇された組合員は当然に組合員資格を失う場合──組合員資格の定め方としては正常でない──にのみ組合に当事者適格が認められるとするのは狭すぎる。

訴訟信託を規定する組合規約の効力について、この判例は有効とみているが、次の項に挙げる【21】

は兼子教授の説に類似して無効説をとつている。兼子教授は「組合全体に均等に起る問題でもないし、また事件毎に、組合員になつた場合拘束を受ける、あるいは負担となるという程度が違うことになるので、そうなるとやはり組合によつて組合員が不平等な干渉を受けるということになるのではないか、即ち権利の内容や額というものも、その都度違うわけでありまして、賃金を請求するとしてもあるものは多額の賃金を請求する、あるものは少い賃金を請求する、退職金の額も違うということになれば、本来ならばやはり労働組合においてもその内部的な組合員たる地位というものは平等でなければならないのであつて、それに不均衡を認めることはできない。しかも将来予測のできないような、いろいろな点での組合からの干渉を受けるか、あるいは組合によつて自分の権利が管理されるかということのわからないようなことはあらかじめこれを定めておくことはできないのじやないか。そういう意味で、たとえ組合規約にそういうことを掲げたとしてもそれは組合員に対する偶然的な不平等の拘束を認める約款ということになつて、その効力が疑わしいと考えられます」(兼子一・前掲論文)としているが、そのような組合規約を当然無効と解することは、労働組合員の連帯性なり相互扶助の意識からいつてきつすぎるのではなかろうか。もつとも兼子教授によれば、具体的に任意的訴訟担当をすることが認められるのだから、個別組合員が実際に反対しなければ結果的には同じことになるが、この点、高島氏の主張するように、このような規約の解釈としては、組合員は組合に対して訴訟信託を有しうることを明かにしたものと解すればよいであろう。もちろん訴訟信託には労働者の意思が絶対的要件であるから、いかなる場合でも組合員を拘束するという趣旨ならば無効とせざるをえない(高島良一・前掲論文参照)。

訴訟信託について佐伯氏は、「訴訟信託の場合に組合規約に定めがある場合、または規約に定めがなくても組合に加入したことによつて訴訟信託を認めようとする説があることは先にのべたがこの説は訴訟信託の場合にも組合に当然訴訟追行権があると同様の結果を出そうという考えなのである。ところが訴訟信託の場合には、既判力が組合員に及ぶわけであるから……組合に当然訴訟追行権を認めることには同意できない。訴訟信託は典型的な場合だけにかぎるべきだろう」（佐伯静治・前掲論文）としているが、薄根氏は「組合規約その他の書面上組合員が組合に対し訴訟をなす権限を授与していることが認められる場合は民事訴訟法第四七条の当事者選定に関する規定を準用し、組合に当事者適格を認めて差支ないと思う」（薄根正男「労働組合の当事者適格」法学論叢二五巻二号）としている。思うに、判決の既判力との関係で問題となるのであるから、後述のように、個別労働者の反対があつたときには既判力は及ばないとすればよいのではあるまいか。(三)

㈡　具体的に授権があつた場合に認めるもの

一般的・抽象的にではなく、個別具体的に組合員から授権があればよいとするものには次のようなものがある。

【20】「一の社団的組織体が民事訴訟法第四十六条により当事者能力があることは疑いないところであるばかりでなく、本件においてはその所属組合員の法律関係及びその休業手当金並びに同金額の附加金の支払請求権を追行する権能の授与されたことが明かであるから、申請組合に前記請求権保全の適格があるものといわなければならない」（旭川新聞配達事件、旭川地判(仮)昭二五・七・二五労民集一・追・一三二九）。

【21】「およそ労働組合はその組合員の固有の権利例えば使用者に対する賃金請求権につき管理処分権を有

しないのであるから、組合員に代つて自から当然にその組合員の権利につき訴訟を追行する権能を有しないことは明らかであるが、その組合員各自がその個有の権利につき訴訟をなす権能を労働組合に対し付与した場合は、労働組合は組合員に代つて自己の名において右権利を履行すべきことを使用者に対し請求する訴訟を遂行することができ、従つてまた右の如き訴訟を本案とする仮処分を組合の名において申請することも許されるものと解するを相当とする。一般に、自己の権利につき第三者をして訴訟をなす権能を任意的に付与するいわゆる任意的訴訟信託は、民事訴訟法が訴訟代理人を原則として弁護士に限り、また信託法第十一条が訴訟行為を為さしむることを主たる目的とする信託を禁止している趣旨に照して、無制限にこれを認めることは許されないが、任意的訴訟信託が我が民事訴訟法上絶対的に禁止されているものと解する必要はないのであつて、弁護士代理の原則及び訴訟信託を禁止する信託法の精神に抵触しない限り、特に必要のある場合にはこれを認めて差支えないのである。そして、労働組合は組合員たる労働者の労働条件の維持改善その他経済的地位の向上を図ることを主たる目的とする団体であつて、組合員の権利を擁護するために使用者と団体交渉をなし或は使用者に不当労働行為のあつた場合には組合員のために労働委員会に対し救済を請求することができるのであるから、組合員から特別の授権のあつた場合には、労働契約に基く組合員の固有の権利につき訴訟を遂行する権能を認めることは労働組合の本質に適合し且つ労働組合及び組合員の双方の需要を充たすものといわねばならぬ。けだし、これにより組合は組合内部の統制を容易にし組合の団結権を擁護することができると共に、一方組合員は、自ら訴訟を遂行する能力も資力もない場合においても、組合の費用負担の下に法律上十分にその権利の保護を受けることができるからである。この場合、組合員は組合に対しその権利自体を信託譲渡するものでなく、その権利につき訴訟を追行する権能のみを組合に付与するのであるから、直接信託法第十一条の明文に違反するものではなく、また弁護士代理の原則の回避を禁止することを目的とする同法条の精神に違反するものでもないことは明らかである。

成立に争のない甲第四十四号証によれば、別紙目録記載の控訴人組合の各組合員は昭和二十八年三月二十六日控訴人に対し書面を以て、右各組合員が被控訴人に対して有するものと称する昭和二十五年三月二十九日より同年四月九日までの作業所閉鎖期間中の賃金の請求訴訟を追行する権限を付与したことも疎明できる。また右甲号証によれば、右各組合員は前示附加金についても控訴人に対し同様の権限を付与したことを推測できるから、控訴人は右各組合員のために被控訴人に対し前示賃金及び附加金の支払を請求する訴訟を追行し得るに至つたものといわねばならぬ。従つて、右訴訟を本案とする本件仮処分申請手続において、控訴人が当事者適格を有することは明白である」（宇部興産事件、広島高判(仮)昭二八・一〇・二六労民集四・六・六二一）。

前記最高裁判例の制約下では比較的すつきりした理論をとつているといえよう。

学説では前記兼子教授・佐伯氏の説がこれに類似する。兼子教授は、個別的に組合員から頼まれれば組合がこれを任意的訴訟担当として認めてもよいとしている（兼子一・討論労働法一四号八頁、同・民事訴訟法研究二巻二二七頁、佐伯・前掲論文）。なお、兼子教授はこの場合委任状をとるべきだとする（討論労働法一四号）が、個々の場合に具体的に認定すればよいという意見もある（白石雄三・討論一四号）。

もつともこれらの立場に対しては吉川教授が否定説の立場から批判している。すなわち、「いつたい、任意的訴訟信託の概念は必ずしも明かではないが、一般には、権利又は法律関係の実体法上の主体（実質的な利益帰属主体）がその意思に基いて訴訟実施権（訴訟追行権）を授与することを指称するものといわれている。しかしそのうちには、この権利帰属主体が直接に訴訟実施を授与する場合（選定当事者の場合の如し）と、実体上の権利又は法律関係についての管理処分の権限を附与する結果、訴訟実施権を取得するものと認められる場合（手形の取立委任の場合の被裏書人の如し）とがあり得るであろう。前者の場合には訴訟実施権を授与する特別の授権が必要であるに反し、後者の場合は、実体上の権利に関する管理権の授与さえあれば足りるわけである。しかし、いずれの場合であつても、かように権利帰属主体の意思に基いて第三者に訴訟実施権が与えられるということは、現行民事訴訟の機構から見て、極めて、例外に属するものといえる。けだし若しかような訴訟信託を広く肯定するならば、民事訴訟はいわゆる任意訴訟に堕し、当事者適格を訴訟要件とすることは殆んど有名無実となるのみではなく、弁護士代理の原則(民訴七九)や信託法第十一条の趣旨を裏面から蟬脱することを認め、これを実質的に無意義化するに至るであろうからである。そうだとすれば、任意的訴訟信託は、選定当事者の如く法律をもつて特にその要件効力を規定するとか、手形の取立委任の如く実体権に関する管理権の授与を法律によつて認めるとかいう風に、法的な裏付けのある場合に限つて例外的に許されるものと解さねばならぬ。かような見地に立つ以上は、労働組合員の賃金請求権や解雇無効確認等の訴訟につき信託的訴訟追行権をもつことは否定せられるべきで」ある、としている。このような批判はまつたく正当であるが、しかし前述したように、「法的な裏付けのある場合」が、安易でない解釈によつて存在しうるとすれば、もう少し枠を拡げることもあながち不当とはいえないであろう。(四)

(ホ) 第三者のためにする契約の法理にもとづくもの

現在わが国においては、この考え方のみによつて説明しようとする者はない。しかし便宜上いちおう一類型としておく。

高島氏は、「労働協約については、その協約の全部または特定の条項が、組合員に協約所定の債権を取得させる明示または黙示の意思表示を含んでいる場合には、いわゆる『第三者のためにする契約』の法理に基いて、組合員が第三者として、協約所定の債権を取得しうるとともに、要約者たる労働組合は、諾約者たる使用者に対し、第三者たる組合員に、協約所定の債務を履行すべきことを請求することができる、としている。

従つて、この限度においては、労働組合は自己に固有の権利として、組合員のために、使用者に対し、協約所定の債務の履行を訴求することができるのであるが、この場合、組合の権利は、組合員の権利とは別個のものであるから、組合に対する判決の効力は、組合員の権利に対し、なんらの効力をも及ぼさないこととなる」（高島良一・前掲論文）としている。この限りでは別に問題はないが、高島氏も述べているように、わが国における当事者適格の問題は、労働組合の特殊性という別の面から考察されなければならない。第三者のためにする契約理論は、「その感覚において労働協約の団体的性格を無視した個人法的な解釈原理によつている」（石井照久・前掲論文）し、「この理論をもつてしては何故協約当事者たる労働組合がその組合員のために個別的労働契約にもとずいて発生した権利について自ら訴訟当事者として訴訟を追行する権限があるかの点を明確にすることができない」（黒川小六・前掲三〇七頁）。兼子教授も、これは本来の意味の当事者適格の問題ではない、としている（兼子一・前掲論文、同・前掲二二五頁以下）。

（一）　三原次郎「労働組合の訴訟当事者適格」季刊労働法三二号。なお、柳川真佐夫「労働組合の当事者適格」判例タイムズ六号参照。

いずれにせよ判決の既判力が及ばぬことになれば、いたずらに紛糾を重ねることになるだけでなく、組合と組合員との関係についても二元的な解釈をする結果になる。むしろ個々の組合員が明示の反対をしない場合には既判力が及ぶとして、統一的に解すべきであろう。

（二）　柳川他・全訂判例労働法の研究下巻一五八二頁。

また高島氏も、労働者の権利の擁護を完全ならしめるためには、労働契約の内容決定、変更についてのみならず、その内容の実現、ないし労働契約の締結、終了に関する全部面にわたつて労働組合の関与を認めることが必要であり、またこのことを労働組合の権利として認めることも不当とはいえず、したがつて労働組合はその組合員のため、使用者に対し、組合員に賃金の支払など、給付義務の履行をなすべきことを訴求し得るし、また組合員と使用者との間の法律関係を確定することにつき法律上の利益を有する、とされる。もつとも、労働組合は組合員に代り、その権利を行使して訴訟を追行する権能は有しないとしている（高島・前掲論文）。

(三) 柳川他・判例労働法の研究八七〇頁は、「例えば組合規約に組合員と会社との間に生じた労働契約上の訴訟については組合においてこれを実施することが出来るというような条項がある場合には組合規約が組合員を拘束し得ることは勿論であるから、この条項に基いていわゆる任意的訴訟信託があつたものとし、個々の訴訟について組合に当事者適格を認めることは可能であろう」としているが、同・全訂判例労働法の研究一五八〇頁は、「但し訴訟信託理論を応用することは、たとえ、組合規約に訴訟信託のことが定められている場合でも、現行民事訴訟の体系からして、直ちに組合に対し、組合員の権利を代行する訴訟当事者適格を肯定することは困難であろう」としている。また同書一五八五頁では、「組合規約により組合員が組合に対して使用者との間の訴訟につき任意的訴訟信託することは、右特別な必要がある場合に該当するものということができるのであつて、それは信託法上の禁止、民事訴訟法上の弁護士代理の原則などの立法趣旨に抵触しないと解すべきである」とされている。もつとも柳川―高島・労働争訟一五七頁では、「規約に訴訟信託のことが定められている場合にも直に組合に訴訟適格ありとすることは任意訴訟信託や訴訟代理の弁護士強制主義からみて疑問であろう」となつている。

(四) 最近、三原氏が信託理論からこの問題を検討しておられる（三原次郎・前掲論文）。よく考えられてある意見であるが、憲法上の信託を一つの根拠にしているのは、労働組合関係の説明としてはすこし技巧が勝つていはしまいか。しかし信託理論の枠内では面白い考え方である。

むすび

以上みてきたように、昭和二七年頃には、判例はむしろ肯定説が支配的になりつつあつたところへ【6】の最高裁決定が出てしまつた。それからは否定説が盛り返すことになるが、【7】の否定説は【6】をそのまま踏襲したに過ぎないのに比して、【10】は否定説をとりながらも確認の訴については当事者適格を認める可能性を判示している。また【19】は最高裁決定の出た後のものであるが、組合規約に任意的訴訟信託の定があつて、訴訟信託をした旨の信託書が裁判所に提出されていれば当事者適格が認められる余地のあることを示唆している。これらの判例は最高裁の否定的見解の制約下にあつて、いかに実態に適合させるかにつき腐心したあとが窺われるが、最高裁決定にいわゆる「特段の事由」を明らかにすることによつて枠を拡げる方向に進んでいる。しかしこの問題を正しく捉えて再び下級審から、さらに実態に密着した理論が形成されていくことが期待される。

思うに、一般にいわれているごとく、正当な当事者が何人であるかは実体法的考慮によつて定まるものである。すなわち正当な当事者は紛争となつている法律関係の存否について対立する利害関係の実質的帰属者である。かつて訴訟ということを私法上の権利者が義務者に対して行う権利行使の手段であると考えたことから、当事者は当然に私法上の権利者と義務者でなければならないとし、当事者適格とは、紛争となつている法律関係である権利義務の帰属主体であることにすぎないと説かれたが、この見解は採用できない。というわけは、確認訴訟においては、その紛争は原告被告間の法律関係にはかぎられないし、また給付訴訟においても特別の場合には、私法上の権利者以外の者が当事者であるべきこともあるからである。しかも紛争について対立する利害関係を有する者というのは、給付の訴においては自己の給付請求権を主張する者で、被告はこれに対応する義務者と主張される者であればよい。

次に特別の場合は、特別の事由から一般の場合の利益の実質的帰属者に代つて、またはこれと並んで他の者が訴訟追行権を有することがある。その一の場合は、法律の規定によつてある財産の帰属主体からその管理処分の権能が奪われて、他人に与えられている結果、その財産に関する訴訟においては、その他人が訴訟追行権を有する場合である。たとえば破産財団に関する訴訟における破産管財人、債権について取立命令を得た執行債権者、債権の質権者などである。その二の場合は、特殊の事件に関して職務上当事者としての権限を有する者である。たとえば海難救助料の請求について債務者の不明または遠いところにいることを考慮して船長を当事者としている場合である。その三は、実質的利益主体の意思にもとづいて訴訟追行権を授権された者である。たとえば手形の取立委任裏書の被裏書人のようなのがそれである。

要するに訴訟法上正当な当事者の問題は、その当事者の実体法上の権限いかんにあるということができる。したがつて労働組合の訴訟当事者適格の問題の核心は、労働組合法上労働組合とその組合員との関係いかんを究明することにあるわけである。

このように考えてくれば、実体法上の問題として、労組法第六条(労働組合の代表者等の交渉権限)、同第十六条(労働協約の規範的効力)、同第二十七条の救済を求める権限(前出一七頁の都労委命令)などの実体的規定もさることながら、これらの規定の源になつている憲法第二十八条に保障された団結権および団交権の趣旨から当然にひき出しうるものである。憲法上の労働基本権の保障によつて、わが国の労働者および労働組合は、国際的な水準において権利を獲得し、あるいはそれに反する取引・慣行は公序良俗に違反するとされるにいたつた。すでに、スェーデン労働裁判所法第一三条が、「団体協約を締結した団体は、現に団体の構成員である者または構成員であつた者のために労働裁判所に訴訟を提起することができる。団体の構成員は団体が自己のために訴の提起を拒否することを立証しないかぎり、自ら訴訟を提起することはできない」と規定し、またフランスの一九五〇年の団体協約および集団的労働争議調整手続法第三一条七は、「訴訟能力を有する団体にしてその構成員が団体協約または前記第三十一条nに規定される協定により拘束されるものは利害関係者の委任を立証することを要せずして、自己の構成員のために、この協約または協定にもとづくすべての訴権を行使することができる。ただし、利害関係者が通告をうけ、かつ、これに反対する旨宣言しなかつた場合にかぎる。利害関係者は、団体が提起した訴訟に常に参加することができる。団体協約又は前記第三十一条nに規定される協定に基く訴訟が個人または団体によつて提起されるときは、訴訟能力を有する団体にしてその構成員が協約または協定により約束されるものは、訴訟の解決がその構成員に対しもたらしうる団体的利益のために、当該訴訟に常に参加することができる」としているのは、この当然の事理を立法化しただけで、わが国の法律にそのような定めがないからといつて、これを憲法第二十八条の解釈によつて補うことはかならずしも安易に流れる態度とはいえない。というわけは、労働組合とその組合員との関係は、一般の社団とその構成員との関係とは比較にならないほど密接な一体的関係にあり、いわば組合員即組合ともいうべき本質的性格があるからである。このような団体においては、個人は団体により団結強制を受け、個人は団結を通じてその権利を実現することを図る。もつとも組合が御用組合的であつたり、あるいは組合幹部が怠慢であるとか派閥争いのために個人の利益を十分に考慮しないおそれもあろうから、個人的自由との調和のために、個別労働者の正当な反対意思が明示的に表明された場合にはこのかぎりではなく、その場合には組合は訴を提起しえず、あるいは訴の取下・和解も制約されると解せばよいであろう。

このように解すれば、従来の市民法秩序を乱すことなく、それとの調和を図りながら労働法理念の実現を期することができるであろう。最高裁も「特段の事由」があればと考慮の余地を残しているのであるから、実態に明るい下級審から判例法が形成されていくことを期待する。もつとも立法によつて直截にこの問題を解決することがいちばん望ましいわけであるが。

団体交渉の態容

――委任を含む――

菊池勇夫
深山喜一郎

はしがき

「団体交渉の態容」の執筆を私が引受けてから間もないころ、当時九州大学法学部助手であつた深山喜一郎修士に関係判例の整理を依頼した。その後深山君が佐賀大学文理学部講師となつてから、われわれの間で関係判例を研究しながらあらましの項目を構成した上で、深山君が草稿を書き、私が加筆改稿することにした。ところが、その草稿を私が受取り気のついた点を鉛筆書きしたまま改稿を延引しているうちに、しばらく海外に出張することになつた。編集部からは私の不在中に刊行の運びにしたいと催促を受けたので、ふたたび深山君に草稿を渡し、完稿をまかせることにしたしだいである。したがつて、この稿の執筆には担当者である私が関与しないわけではなく、責任もないわけではないが、内容・文体すべてにわたりもつぱら深山君の労作であることを明らかにし、編集委員と読者各位の御諒解を得なければならない。

一九六〇年一〇月

菊池勇夫

追記　この書は、私の帰国後も印刷にいたらなかつたので、深山君の原稿を通読することができた。その際気のついた点については加筆改稿がおこなわれ、引用判例も加除された。

一　団体交渉の法構造

日本国憲法第二八条は労働者の基本権として団結権及び団体交渉その他の団体行動権を保障している。その歴史的、社会的或いは経済的意義については本稿の詳述すべきところではないが、「団体交渉の態容―委任を含む―」という与えられた課題について個々の判例を検討するに先立ち、団体交渉権の法構造について筆者が理解するところの大要を述べておくことは、以下の研究の基礎を示すものとして無意味ではないであろう。

言うまでもなく市民法的契約自由の原則はその基礎を個人的人格の独立におくものであった。人をすべて抽象的人格像においてとらえる市民法の理念は、封建的拘束下にあった人間をすべて対等平等な自由人として解放した歴史的意義を高く評価されねばならぬが、反面では取引の場における個人対個人の交渉を中核とする自由契約の尊重として現れ、この基礎構造と矛盾する如何なるものをも排斥した。この法理念は労働関係においても英国の「団結禁止法」（一七九九）、フランスの「ル・シャプリエ法」（一七九一）等に典型的に表示された。そこではまさしく個人の独立・平等という抽象的理念こそが法益として保護され、決して取引における実質的平等・公正が守られたのではなかった。このように、生産手段の私有を認め、経済的不平等関係を捨象した市民法体制下においては、個人の自由独立と取引における実質的公正との遊離が招来されずにはおかなかった。かかる矛盾の激化は当然の結果として前者の非現実性を指摘し、後者に重きをおく要請――その事実的獲得運動へと発展する。労働関係における労働者の団結＝労働組合はこうした運動の主体であり、かかる団結及びその行動を如何に法秩序の中に組入れるかが労働法の主要な課題であるといえよう。このように労働法を支える力は第一次的にはこれを要求した労働運動そのものであるが、それに対応する国家の社会政策的立法意図をも無視できない。両者の妥協点こそ労働立法として明文化されたものである。然しながらこの二つの力の存在は、或る時は社会的事実として組合活動が固定化された法の枠を越えて行われることもありうることを示し、逆に労働法の解釈が流動発展すべきことをも示すものである。こうした労働法の特性の中で団体交渉は如何なる地位を占めるであろうか。

非人間的搾取の排除＝労働力取引における公正の主張に主眼をおく労働法が、その交渉段階を重視するのは当然である。団結権（狭義の）や争議権もその意味では団体交渉権を実現する手段とさえいえよう。

ところで団体交渉においては、市民法における契約関係が個人を主体とするのと異り、労働者側には労働組合という団体を以て使用者に対置することになるのである。これを推進する労働運動に対して、使用者側からは市民法理論の立場による強硬な反撃をもたらしたのである。このことは今なお、労働法的保護の及ばない団結行為に対して市民法が直ちに違法規するという形で残されている（後述四の三参照）。

以上のような団体交渉がわが国においてどのような態容をとり、それに対する法的規制がどのようにあらわれているかを、具体的事件を裁決した判例にもとづいて明らかにするのが本稿の課題である。

二　団体交渉権の主体

団体交渉とは労使間の問題を、使用者と個々の労働者とではなしに、使用者又はその団体と労働者の団体との間において交渉決定するものである。即ち労働者が個人としてではなく、団体として交渉に当るのである。ところでこの交渉主体たる労働者の団体とはいかなるものであろうか。

一　団体交渉の意味――団体交渉は単なる集団交渉ではない

団体交渉は、労働者が団結し、労働市場における労働力の独占を背景としつつ、実質的な労使対等の場において交渉し、以て労働者の地位の向上を図ろうとするものであつて、単に労働者が集団をなし、多数の威力を背景にして行う交渉を意味するのではない。然らば単なる労働者の集団と団結＝団体とはいかなる区別があるかが明確にされなければならない。一般法上、個人の集合体が一個の権利主体として認められるためには一定の法律上の要件を必要とする(例えば民法上の社団)。これに対して労働組合は、すでに一個の権利主体として社会的に存在し承認されているものであつて、法律の規定によつて作り出されるものではない。このことは、労組法第一二条による法人格の取得が労働組合の団体性そのものとは拘りなく単に財産取引関係の面でのみ問題とされることにも窺われるであろう。更に労組法第二条、第五条の規定も、労組法上特殊の保護・救済の対象たりうる組合、いわゆる法内組合、適格組合の要件を定めるにすぎないのであつて、労働組合の団体性が認められるための一般的要件についてては法律は何らの規定をも有しないのである。然しながら勿論、労働者の集合体が一個の団体といえるためには一定の要件を必要とする。即ち団体はその構成員個々人の意思とは異質の(内容的異同は別として)意思たる団体意思により支配されるのであつて、そのためには個別的意思の集合を統一的団体意思に組織する機構がなければならない。又、こうした抽象的な団体意思の具体化はその団体内における自主的規範に従つて組織的・統一的に表現されなければならない。それゆえ、以上の要件に適合しない集団乃至集団交渉はこれを団体乃至団体交渉と区別しなければならないわけである。

【1】「同日行われたいわゆる団体交渉なるものは選炭婦を除く従業員の多数が各自個別的に会社事務所に集合し、炭価の賃上げ(請負給算出基礎単価の引上げ―筆者註)等労働条件の改善を要求した集団交渉であつて労働組合法第七条第二号にいう『使用者が雇用する労働者の代表者と団体交渉すること』の場合に該当せず、申立人は他の従業員を代表しての資格によることなく、自己自身の為の労働条件の改善要求を、たまたま多人数の者と集合的になしたところこれを拒否されたるに過ぎないものであること明白であるのみならず、被申立人が申立人の要求を直ちに受入れなかつたからといつて、団体交渉を不当に拒んだものということはできない」(三協交易楢田炭礦事件、福島地労委昭二六・八・二九命令、不当労働行為事件命令集五・一二九)。

又、組合員の一部でも、組合を通ずることなく、多数従業員として交渉することは、団体交渉に非ざる集団交渉とされている。

【2】「職階制実施に関する協議の決裂した後、被申請会社労働組合連合会は各単位組合に対し……各単組の事情に応じた闘争をせよとの指令を発し、申請人等の属する単組においてもその指令に従い、組合員に対し各々の職場において自主的に闘争を展開するよう指示し……一部職場での部分ストや、デモが行われていたが、(以前に)会社から懲戒処分を受けた者の取扱および年末資金の前借等についての団体交渉がついに不調に終つたので、これについて一部従業員がその職場代表等に動かされて所長等会社側幹部に面会し陳情書を提出すると称し集団をなして所長室前に赴いたのに端を発し、これを聞き伝えたその他の従業員がその附近に集合し座

り込んだのであるが、その参加者はいずれも労働組合法第六条で交渉権限ある者とされている正規の組合代表でもなければ、組合ないし組合員から会社との交渉を委任されていた者でもなく、右のような共同の集団でありながら、自らの代表者を立ててその目的を会社側に提示することもせず、さらに組合代表者として正当な交渉権限ある申請人吉岡以下組合執行委員がその後間もなくこの状況を知つてその場に来合せ所長と面接しながら、ただ集合した陳情者に会つてやつてくれとの言をくりかえすのみで、それ等陳情団以外の者としてそれと会社との間を仲介する如き立場をとるに止り、それ等陳情の内容を組合自体のものとして取上げ、自らその具体的内容について交渉する態度に出ておらなかつた等の事実から推すと、これ等従業員大衆の行動は会社組合間の紛議につき組合として交渉することを目的としたわけでなく、その自称する如く単に従業員として会社に陳情することを目的としたものと見られるが、そのような陳情行為ないしそのため集合することはそれ等の者が、その交渉相手たる会社から正当な交渉権者と認められた組合を組織している場合には、労働者の正当な行為として特に法の認め保護している団体交渉に属する労働行為とはいい難いのであり……。

従業員大衆の行為が単なる陳情行為である以上、会社代表者としては自ら進んでこれと応接することはもとより差支えないことではあるが、団体交渉の場合とは違つてこれに応ずる法律上の義務があるわけではなく、従業員としても単なる陳情のため使用者に面会を強要することはできない……。

けだし、労働者としてその利益を守るため組合に団結した以上、その組織と代表者とを通じて使用者と秩序ある交渉をすべきであり、労働者大衆の威力も組合を通じ、或はその代表者を鼓舞し支持することによつて発揮するのが団結した労働者の労使対等という衡平な立場に基く健全な行動であるというべきなのであるから（傍点は筆者）」（三菱電機神戸製作所事件、神戸地判昭二五・五・八労民集一・二・二四八―二五一）。

なお、理論的にはこのような労働者の団体は労働組合という恒常的、永続的団体でなければならないかの問題が残る。この点に関する判例は見当らないが、労組法第七条二号の「使用者が雇用する労働者の代表者と団体交渉することを正当な理由がなくて拒むこと」という規定から考えても、法は交渉主体を必ずしも労働組合に限定していないのであつて、前述の如き要件を満す労働団体であれば、いまだ恒常的な組織とはなつていない争議団などの一時的団結であつても団交権を有するものと解せられる。もとより、労働力の独占的支配を持続し、より強力なものとするためにはその団結の恒常性が必要であろうが、それは逆に、恒常性、永続性を持たない団結に団交権を否認することにはならないのである。

二　上部団体と職場組織の団体交渉権

労働組合はその存在する社会の種々の事情に応じて組織基盤を異にする。わが国の組合組織の一般的特徴はいわゆる企業別組合が中核となつていることである。こうした組合組織の労働運動に及ぼす影響、現実的利害得失、或いは又こうした組織の基礎となつている労働者の団結意識等についてはここでは触れないが、労働組合運動の本質が労働力の独占による労働者の地位の向上を図ることにあるとすれば、企業別に組織された単位組合が更に地域的に或いは職種別・産業別に結集統合され又は再構成されなくてはその目的を達成することは困難である。こうした意味から上部団体の存在意義は極めて重要なものとなるわけである。

単位組合の内部についてみれば、職場組織の問題がある。企業別組合も一種の職場組織とみられるが、しかし、単位組合とその企業内の職場組織との関係は、上部団体と企業別単位組合との関係とは異つて、職場組織が独立した団体を構成していないのが普通である。もとより組合の肢体として職場組織が現場の組合活動に重要であることはいうまでもない。そこで、いわゆる職場闘争が組合運動の戦術とされ、職場組織の団体交渉権が大きく取り上げられるに至つた。

こうした上部団体、単位組合及び職場組織のそれぞれの団体交渉権はどのようなものであり、またそれぞれの相互的関係はどうなるであろうか。

（一）　上部団体　　先ず上部団体についてみれば、これを機能面から大別して二種を認めることができる。一つはいわば上位団体であり、その構成員たる単位組合に対して或る程度の指揮・統制権を有するものであり、他はいわば協議体たる連合体であつて、労働戦線統一のための連絡機関としての機能のみを果すものである。これらの上部団体は共に労働組合法第二条の「連合団体」である点では変りはないが、その組織の本質上、団体交渉権については異るものがあると考えられる。

上位団体がそれ自体団体交渉権の主体たりうることについては議論の余地がない。これは前述のように労働力の独占をより高度に確保するための組織であつて、上位団体がその構成員たる単位組合乃至組合員のために団体交渉をする権利を有するのは組織の本質上当然のことである。判例も一致してこれを認めている。

【3】「原告（会社）は、本件労働協約は現地交渉を規定したものであり被告組合（下部単位組合）自身と宮古工場長が交渉当事者となつて労働協約第九四条第九五条所定の手続をふんだ団体交渉であると主張するが、同協約は交渉の場所を宮古と特定してもいないし、交渉当事者を被告組合と宮古工場長に限定しているものと解すべきものでもない。宮古工場長より原告会社社長と交渉した方がより直接的能率的であることはいうまでもないところであつて、それを禁止するまでの趣旨は同協約に規定されているとは解せられない。また労働組合連合会が傘下単位組合の委任をうけて一丸となつて統一的に会社と交渉することができるのはこれまた当然

の理であつて、連合会はそもそもこのような目的のために結成されるものであり、原告主張のようにこれができないとすれば、連合会の存在自体を否定することに外ならないのである（傍点は筆者）」（ラサ工業事件、盛岡地判昭三二・三・五労民集八・二・二二一）。

本件は会社側からの平和条項違反（交渉義務違反の争議行為）を理由とする損害賠償請求事件であるため、直接上部団体の交渉権を問題にしたものではないが、傍点部分に示される裁判所の見解は企業連合体の意義に触れるものとして注目されよう。更にその後半は、上部団体との交渉拒否が、単に労働組合法七条二号の問題に止らず、三号との関係においてもとらえらるべきことを示唆するものと考えられるであろう。

更に次の事例は、上位団体との団体交渉に応ずべき旨命じた地方労働委員会の命令を不服とした使用者が、地方裁判所にその取消請求の判決を求めて棄却され、次いで高等裁判所に控訴したが、同じく使用者の主張が却けられた例である。

【4】（事実）組合は会社の企図する職場再編成問題、労働協約、賃金遅配問題等について組合大会で検討したが、対会社交渉に組合単独では有利に進展しないとの判断に基き、栃木地区労働組合会議ならびに栃木県労働組合会議に交渉を委任することに決して会社に申入れを行つたが、会社は、話合いならやるが団体交渉はやらない、又第三者が加わつては団体交渉は出来ないとしてこれを拒否した。その理由とするところは、職場再編成問題は会社の権限において決すべき事柄であつて団体交渉の対象とはならない、又、労働協約及び賃金問題については組合と話合いは行つていることだし、第三者の手を煩わす必要はないと考える、というのであつた。労働委員会は右の話合いも団体交渉であることは認めたが、職場再編成問題は「直接従業員の労働条件に重大な関連をもつものであるから会社側に権限が帰属するという理由のみで団体交渉の対象でないとすること

は不当である」とし、地区労等の上部団体の交渉については次のように述べている。

（判旨）「被申立人は、第三者の手を煩わす問題でないとしているが、この判断は、委任する側の中立人組合にゆだねられるべきで被申立人の介意する限りでないことは論をまたない。労働組合法は、その第六条において労働組合の委任を受けた者は労働組合員のために使用者またはその団体と労働協約の締結その他の事項に関して交渉する権限を有すると規定し、また同七条において使用者が雇用する労働者の代表者と団体交渉することを正当な理由なく拒むことを禁止している。

従つて第三者であつても労働組合の委任を受けたものであれば拒むことはできないところである。本件において上部団体を第三者であるとして、これとの交渉を拒否しようとする被申立人の主張は正当なる理由とは容認できない。

いわんや上部団体は、下部組合のためにその使用者と独自に交渉する権限を有しているところから、それとの交渉を拒むことは許さるべきではない（傍点は筆者）」（栃木化成事件、栃木地労委昭三二・二・一四命令、不当労働行為事件命令集一六・一七集二五―二六）。

【5】「栃木県労働組合会議（以下県労と略称する）及び栃木地区労働組合会議（以下地区労と略称する）が補助参加人組合の上部団体であり労働組合であることは当事者補助参加人の明らかには争わないところである。そして昭和三十一年十月中補助参加人組合が原告会社と前述の如く団体交渉をなした際、右県労、地区労との団体交渉を原告会社が拒否したことは当事者補助参加人に争がない。……そして元来当該労働組合に団体交渉権のある事項についてはそれがその労働組合に特殊の問題でない限りその上部団体も当該労働組合からの委任の有無を問わず団体交渉権を有すること明らかであるが右労働協約、職場再編成の案件が上部団体の干与を許さない問題でないこと明らかであるから原告会社は右県労地区労とも団体交渉をなすべきであること勿論である（傍点は筆者）」（栃木化成不当労働行為救済命令取消請求事件、宇都宮地判昭三三・二・二五労民集九・一・六八）。

【6】「……上部団体は、下部団体と共同して団体交渉をなし得る権限を当然有するものと解すべきであり、特に前記の如く補助参加組合から委任を受けた場合、交渉の権限を有することは、労働組合法第六条の規定から明白である。しかして……補助参加組合は、職場再編成、労働協約、賃金問題の各案件につき、上部団体と共

同して交渉する方針であり、被控訴会社もこの事実を知っていたことが明白であるから、被控訴会社が前記の如く上部団体との交渉および職場再編成問題についての交渉を拒否したことは、たとえ賃金問題および労働協約問題について、すでに補助参加組合との間に交渉したことがある事実を参酌しても、被控訴会社は、結局、補助参加組合との間において、誠意ある交渉をしなかったものといわざるを得ないのである」（栃木化成救済命令取消請求控訴事件、東京高判昭三四・一二・二三労民集一〇・六・六七）。

このほか、上位団体の団体交渉権に関するものとしては後述の全鉱事件【8】がある。一般にわが国では使用者は上位団体との交渉を避けようとする傾向にあるようである。それは、それぞれの企業乃至は事業場内の単位組合との交渉の方が、上位団体との交渉よりも会社に有利な結論が期待出来ると考えるところによるのであろう。昭和二九年の近江絹糸事件における全繊との団体交渉拒否はその典型的な例である。更に後述する唯一交渉団体条項や第三者委任禁止条項等は、こうした使用者の上部団体忌避の意図に発することが多い。

次に連絡協議体としての性格しか持たない連合団体はどうであろうか。一定の条件の下に団交権を認めたのが次の判例である。

【7】「連合会は現に規約もなく、単位組合に対する統制力ももたないが、各単位組合が企業内において共通する利益にもとづき統一ある行動をとり、共同闘争により労働者の地位を向上させることを目的とし、各単位組合の委員長を含む三名の代表者で構成される連合委員会と連合会を代表する連合会委員長を持ち、単位組合間の行動の統一を調整し、会社と団体交渉をする点において一種の組合連合体であることに変りはなく、ただ単位組合との関係における決議権やその他の権利の範囲は明らかではなく、上下関係はないけれども、従来の会社と連合会及び単位組合との慣行や連合会に諸種の権利を認めた協約の規定に徴し、少くとも各単位組合

に共通する事項については単位組合が特に反対の意思表示をしない限り、連合会にも団体交渉権が認められ、且つ会社と連合会との間に団体交渉が行われたときは、その効果は各単位組合にも及ぶものと解することができるのであつて、申請人等の主張するように、単に『可能なる限り統一行動をとるための共同闘争機関』にすぎないということはできない（傍点は筆者）」（池貝鉄工所事件、東京地判昭二五・六・一五労民集一・五・七四八）。

このような協約の規定や慣行がない場合に単なる連絡協議会にすぎない上部団体が独自の団体交渉権を有するかについては問題がある。即ちこうした団体が組合運動における戦術上の便宜から設けられたものにすぎないならば、労働力の独占的支配という団体交渉権の基盤を欠いているからである。このように考えれば一般に連絡協議体にすぎない労働団体は独自の団体交渉権は有しないといわざるをえないが、勿論、他の組合の委任を受ければその範囲内で交渉する権限を有することになる。

（二）　上位団体と単位組合との関係　　ところで上位団体の団交権と単位組合のそれとの関係はどうであろうか。既述のように上位団体の団交権は独自のものであり、単位組合の団交権の移譲によるものではない。従つて上位団体がその下位団体たる単位組合乃至その組合員のために交渉するためには下位団体から委任をうける必要はないのであるが、実際上はこのような委任の形式をとつていることが多い。【3】及び【4】【5】【6】は何れもその例である。このことは、いわゆる上部団体といわれるものが、上位団体としての実質を否認され、協議体たる連合団体にすぎないと評価される場合に備える事前措置としての現実的意義を有するに止るのである。理論的には却つて単位組合の団交権は上位団体のそれによつて制約されるのであつて、両者の衝突はありえない。ただ、この問題がとやかく論議されるのは全くわが国特有の企業内組合主義及びそれに対応する組合意識によるものであろう。[二]

（一）　この点については次の文献を参照されたい。労働争議調査会編・戦後労働争議実態調査Ⅴ「不当労働行為事件における特殊性の研究」（中央公論社刊）六四—六七頁。松岡三郎「日本における連合団体——上部組織の労働法上の地位」季刊労働法二二。

以上のように考えれば単位組合によって上位団体の団交権が制限されるということはありえない。ただ、上位団体の規約又は決議により、一定事項が下位単位組合の専権事項とされ、自らの権限が制約されている場合があるが、それは決して下位単位組合の団交権によって上位団体の団交権が制限されているのではなく、上位団体自らが自己の権能に加えた制約＝自己制限によって単位組合の団交権のみが残ったにすぎない。又、上位団体が決議により下位単位組合に団体交渉を一任することがあるが、この場合は明らかに下位組合による上位団体の団交権の制約ではなく、上位団体の団交権が前提とされ、何らかの理由でその行使が抑制されているにすぎない。故に、問題となるのは、下位組合が上位団体の意思に反し、又は無関係に、その団交権を制約せんとする場合である。その典型的な例が単位組合と使用者との間に締結された労働協約に含まれる唯一交渉団体条項による制約である。

唯一交渉団体条項に関する判例は比較的多くをみることができる（後述八五頁以下）が、殆んどが当該協約当事者たる組合と併立乃至は競争関係にある組合に対する効力をめぐってのものであり、ここに述べる上位団体の団体交渉権との関係では次の全鉱事件についての中央労働委員会の命令が数少い例の一つである（尤もこのことは同条項が上位団体に向けられることが少いことを意味するものではない）。

【8】（事実）　全日本金属鉱山労働組合連合会（全鉱）は共同申立人各企業連の上位団体であり、規約上団体交渉権を持つが、協約については全国大会、企業連大会等の議決を条件とし具体案の決定ならびに仮協定を

する権限を有するもので、各企業連は相当程度の自主性及び全鉱内における独自性が認められていた。全鉱は昭和二五年七月に鉱山経営者連盟が解散するまでは昭和二二年全鉱結成以来引続き統一交渉を行い、全鉱と連盟の間に統一労働協約が締結されていた。昭和二五年七月、連盟解散以後も全鉱は各企業連に対して指令権をもち、かつ、企業連と会社との協約中の唯一交渉団体約款及び交渉委任禁止条項が全鉱の団交権を阻害するものとしてその廃止のための努力を重ねたのであるが、昭和三〇年一二月二二日の大闘においてついに断念、ただ「今後あらゆる時機をつかんで全鉱が交渉に参画する闘いを起して行く……」ことを決めていた。かくて「全鉱は、昭和三一年二月初旬の第二六回大会において昭和三一年四月以降の賃金については……全鉱及び各企業連が共同して当ること（共同交渉方式）及び被申立人等大手七社に対しては大闘を設けて指令権、交渉権、妥結権のいわゆる三権を委ね、これにおいて執行することを決定。さらに二月一六日の大闘において共同交渉方式をとることならびに交渉方式をめぐる問題について基本的態度と方針とを確認」し、共同交渉方式による団交を申入れたが会社側はこれを拒否した。その理由は「各社とも全鉱の交渉権を否認するものではない。しかし企業格差もあることだから、従来の慣行あるいは労働協約に定める如き企業連との交渉に応ずるにはやぶさかではないけれども……共同交渉方式による団体交渉には応じ難いというのである。」

（判旨）「共同交渉方式が全鉱並びに各企業連の共同によるいわば両者が不離一体となつて行う交渉方式であり、単に企業連に全鉱が加わつたものでないことは……明らかなところである。従つて、これを以て二重交渉であると抗争するのは当らず、またこのうちから企業連のみをとり出し、それとの交渉ならば応ずるというのは、とりもなおさず右の共同交渉方式による団体交渉申入れの拒否であるといわなければならない。

しかしながら、日鉱、三井、同和、古河、石原の各社にあつては、最近六年間にわたる企業連とのみの交渉の経緯もあり、また、前述の如き全鉱の努力と統制にもかかわらず（唯一交渉団体約款ないし委任禁止条項が直ちに全鉱固有の団交権を否認する趣旨には解しえないにしても）団交権に関する統一闘争は昭和三〇年一二月の大闘において断念せられている。しかして各企業連みづからは各会社との労働協約ないし附属協定等において、企業連のみが交渉に当ると解しうる趣旨の約定をしているという事情にある。かかる諸事情からすれば今次交渉に当つて卒然として従来の交渉方式を改め共同交渉をもつて臨むべき態勢が全鉱内部において熟しているものとは認め難く、従つて各社がこれを拒否するのは正当の理由ありといわなければならない」（全鉱事件、中労委昭三一・三・二命令、不当労働行為命令集一部救済編八三一以下）。

この命令には重大な矛盾があることを指摘できる。即ち判旨は「（唯一交渉団体約款ないし委任禁止条項が直ちに全鉱固有の団交権を否認する趣旨とは解しえないにしても）」と述べ、かつ、使用者も全鉱固有の団交権の否認すべからざることを認めながら、なお、同約款ないし条項を団交拒否の正当理由としている。勿論、従来の慣行及び昭和三〇年一二月の大闘における統一協約闘争の断念と共に「諸事情」の一つとするのであるが、その「慣行」は使用者によつて一方的に押しつけられた慣行にすぎず、およそ法的保護に価しない。又、大闘における「断念」はそれら協約中に規定されている上位団体排除条項を統一的に破棄することの断念であり、法的にはたとえそれらが存在しても全鉱の団交権に影響を及ぼさないことは命令自体が認めている。従つて唯一の団交拒否の正当理由は「企業連のみが交渉に当ると解しうる趣旨の約定」つまり唯一交渉団体条項ないし交渉委任禁止条項のみである。かくてその矛盾は詳言の要もないであろう。

唯一交渉団体条項ないし交渉委任禁止条項の効力一般については後述（四の一参照）するが、ここで注意されねばならないのはこれらの条項に与えられた役割の変遷である。即ち、初めは組合の組織固めとして、最近では使用者の組合対策として現れていることである（野村平爾・日本労働法の形成過程と理論（岩波書店昭三二）二一〇頁参照）。このような唯一交渉団体条項や委任禁止条項の意味するところの相違は、それらに対する法的評価にも影響せざるをえない。つまり、団結権保障という建前から設けられた不当労働行為制度の理念に照して前者の場合に或程度の効力——違反について債務不履行の責任を認める——が認められるとしても、後者の場合、全く労働法的支持・保障に価しない。本件の場合、明らかに唯一交渉団体約款等は使用者の組合封じ込め政策（企業内組合主義）により打出されたものである。こうした唯一交渉団体条項、委任禁止条項の具体的意味に触れることなく、唯一交渉団体条項一般の効力の判断を以てした中労委の命令は、前述したような矛盾があるだけではなく、不当な判断であるという非難を免れない（本件の批評としては早大大学院労働法ゼミナール「唯一交渉団体約款と委任禁止条項」季刊労働法二〇号が詳しい。他に横井芳弘「全鉱の共同交渉方式」労働法九号がある）。

（三）　職場組織　職場団体の団交権の性質はどうであろうか。いわゆる職場交渉の問題は二つの面から論ぜられている。第一に、職場組織は団交権の主体たりうる労働者の団結として独自性を有するか、第二に、これら職場交渉の殆んどがそうであるが、職制ないし会社下級幹部たる課長級との交渉が果して団交といえるか、である。前者がここに採り上げる団交権主体の問題であり、後者は交渉の相手方の問題であるが、両者は不離一体の関係に立つものであつて分つて論ずることはできない。

先ず、判例を見てみよう。

【9】（事実）　就業時間中の賃金差引措置の撤回、賃上げ等を要求して争議中の組合は、その闘争の一環として職場闘争を強化し、職場毎に各課長を相手として相当に激しい職場交渉を行つた。

（判旨）　「中立人等は賃金差引問題は中央交渉によつても解決し得る問題であり、本来労働協約に含まれるべきものであると言いながら、職場において各課長に対し撤回を要求している。……組合が共通の問題として中央交渉をなしつつある場合、組合の一部であり、組合の統制の下に存立しうる組織にすぎない職場組織、職場の個々の組合員が職場交渉をしても、それは職場の意思を職制を通じて使用者に反映するに過ぎず、従つて権限のない職制に確約書を求める等のことは、それ自体直接効果を持たないばかりでなく、反面逆効果を齎すことも考えなければならないのであり、一方使用者側は同一の問題について組合の二つのものと交渉しなければならない義務はないし、一本の中央交渉の方がより合理的であると言わなければならない。

……組合は職場交渉は組合規約上も権限を附与されているからとして、交渉の相手方たりえない部課長等に対し、その意に反して職場交渉を強要し、圧倒的多数組合員をもつて部課長等を威圧し、脅迫、暴行を加え、あるいは当日の給料は仮払であることを認める旨等の確約書を書くことを強要し、作成せしめた等の事実があつたことは……推認出来るのであるから、かかる争議行為は、その目的、その手段、その方法において、労働組合の正当な権利行使の範囲を逸脱したものでありかつまた個人の基本的人権を無視した暴力行為であつて違法不当な争議行為であると言わなければならない」（日産自動車事件、神奈川地労委昭三一・四・二五命令、不当労働行為命令集棄却編一三七〇―一三七一）。

職場組織が組合内でどのような地位を与えられ如何なる権限を持つかは、組合規約や大会の決議によつて決せられることである(二)。右の事件において職場組織がそれぞれの職場において交渉権限を有していたことは疑いがない。従つてその交渉は、単に「職場の意思を職制を通じて使用者に反映するに過ぎ」ないものと考えるのは誤りである。ただ、組合がありその中央交渉が行われている場合に同時に職場交渉が行われうるかが職場団交権として争われることになる。この点について前掲判例【2】は労働者が「組合を組織している場合には」それらの者の単なる集団的陳情行為は「労働者の正当な行為として特に法の認め保護している団体交渉に属する行為とはいい難い」としたのであるが、本件は右とは異るものである。単なる労務者の集団は団交権の主体たりえないこと勿論であるが、右の職場組織は明らかに団体意思によつて統制された団結として組合規約上認められており、その限りで団交権の主体たりうる。尤も、組合内の一組織としてその統制には服するが、職場独自の問題及び組合より委任せられた問題については交渉権を有するのである。かつ、「使用者は同一の問題について組合の二つのものと交渉しなければならない義務はない」というのは、いわゆる二重交渉の意味であろうが、職場交渉と中央交渉との併存は同一平面における交渉の重複ではないのであり、二重交渉の非難は当らない。又、仮にこれも二重交渉と看做すにしても、それは単に交渉拒否の正当理由となるだけであつて、一般的に職場に団交権を否認する理由とはなりえないのである。

次に、交渉事項によつては職場交渉の相手方たる部課長等の下級幹部に決定権限のないことも職場交渉を否認する理由として挙げられている。一般に団体交渉は交渉・決定を目的とするものであるから、交渉・決定権限を有する者が交渉に当らねばならないのであるが、このことは必ずしも決定権限のない者は常に交渉に応ずる義務がないということを意味しない（後述三の二参照）。殊に職場交渉の多くはその成果の積重ねによつて中央交渉の妥結に導こうとするものであつて、必ずしも相手方の決定権限を予定していないのである。もとより、団体交渉は終局的には労働条件等の決定を目的としているが、その協定に到達する一過程として職場交渉が行われるのである。そしてこのような職場交渉の全体が中央交渉に結集されるのであるから、必ずしも職場交渉の段階で決定がなされることは要しないが、若しこの過程が否認されるとすれば、中央交渉自体が拒否されることに等しい。従つて職場交渉の積上げ方式による交渉を否認する積極的な理由がない限り、職場交渉を拒否することはできないというべきである。ただ、もちろん職場交渉が下級幹部職制に対して、権限のない事項について決定を要求するような場合には交渉拒否の正当理由が認められ、その手段如何によつては民・刑事責任が追及されることにもなる。又、職場交渉が労使関係の直接の当事者間に行われることから、特に争議中の職場交渉が暴力的になりやすいことも考えられるが、いうまでもなく、それはここで論ずる職場組織の団交権自体の問題ではない（二）。

ところで、職場組織は現場の労働者により自発的に結成され、まだ、正式の組合下部組織として規約上の根拠を有しないことがある。このような場合にも、それが組合内の民主的ルールを無視するような分派行動でない限り、組合としてもこれを排除する理由はなく、むしろ積極的に下部組織として利用することが多い。このような職場組織について、次の判例がある。

【10】「職場会議、協議会又は懇談会なるものは組合の正式機関とは認め難いけれども、前記証拠によれば、組合の意思に反するものでなく、組合の黙示の承認の下に日常の組合活動をなすための職場における組織と認められるので、右会をとおしてなした申請人らの前記活動は組合の黙示の授権に基く常例的組合活動と見るべきであつて、もとより正当なものに外ならない」（米軍羽田輸送部隊事件、東京地判昭三二・一〇・一五労民集八・五・七七〇）。

右の二例は何れも実質的には組合統制下におかれた職場組織であるが、これに対し、組合とは全く無関係に、或いは組合の活動に不満を持つ一部職場の労働者によつて職場組織が作られ、交渉が行われることもある。次はその例である。

【11】「当時会社の賃金の遅配はますます甚しく……従前も約束の期日に必ずしも支払われない状況にあつたので、第三、第四職場の従業員らが各職場長に対して同日支払があるかどうかをたしかめたところ『金の都合があるから今日は支払えない、来週になる』との話であつたので、この日の支払をあてにしていた従業員ら

は甚しい失望と不安におちいつて動揺を起し、会社に対する非難の声が高まつたこと、これに対し会社は組合を通じて適当な施策を示すこともなく、組合執行部も組合員を納得安心させるような特別の措置をとりえなかつたことが認められ、このような事情の下で従業員が自ら賃金支払の確保を求めんとするのは無理からぬところで、そのため職場大会を開き工場幹部との交渉を決議し、その行動を起すこともやむを得ないといわなければならない。……右の行動は直接組合執行部の決定にもとずくものではなく、それとは別個のものであつても、労働者は自己の賃金支払の交渉に必ずしも組合の組織を通じてだけ行動しなければならないことはないのであつて、会社側がこれを分派行動として不当視することは理由がない（傍点は筆者）」（富士産業荻窪工場事件、東京高判昭二八・四・一三労民集四・二四・一）。

組合が結成されている場合、その組織内の労働者としては、組合の意思にもとづき、その統制下において行動することが原則的には要求される（前掲【2】参照）が、組合の関与しない事項について一部組合員が結集して行動することは、そのことのみで直ちに違法視さるべきものではない。右の判例はこの理を示したものである。然しながら、このような職場組織が団交権を有するかどうかは全く別個に判断されなければならない。この職場組織はもともと組合とは別個の組織であるから、その団交権は職場組織独自のものでなければならない。右の事件は直接に団交権を問題にしたものではないので、この点を判決の中から読みとることはできないが、一般論としては、かかる職場組織が独立の団体として認められるための要件を備えているか否かの問題となるわけである（前述四九－五二頁参照）。

（一）　職場組織が分会、支部等の単位をなし、独自の規約を有する等、それ自体一個の単位組合としての性格を有する場合は疑問の余地はなく、ここで問題とするのは単位組合内の職場組織として、単位組合の組織の一部の団体交渉権である。

（二）　職場交渉が大衆交渉になりがちな理由として他に、「職場交渉は、職場労働者の数が多くないこと、職場における指導者、職場委員に交渉の技術と迫力に欠けることがあること、交渉内容が職場の者の一人一人の個別的要求であったりすること」等が挙げられている（森永英三郎「職場闘争の法律問題」季刊労働法一九・四〇）。なお、大衆交渉については四の二参照。

三　被解雇者団体

被解雇者とは特定使用者との労働関係を終了せしめられた労働者のことであり、現在、その使用者との間に継続的労働関係を有しないという点においては一般失業者と異ならない。ただ彼を一般失業者と区別するのは、何らかの理由で従来の労働関係が完全には消滅せずないしは清算しきれず残存している場合があるからである。

このような特異な立場にある被解雇者のみならず、広く失業者も団結権を有することは疑いない。ただ、企業内組合という特殊な組織をとるわが国の労働組合においては失業労働者は通常の組織から遊離していることが殆んどである。従って失業労働者の団結は、それが抽象的には団交権の主体たりえても、その団交権を行使すべき相手方＝対向関係に立つ使用者がいないために、労組法第七条二号の対象となり難いのである。これに対して被解雇者の場合は、特定使用者との労働関係そのものは存在せずとも、なお従前の労働関係より生じた権利義務関係が存続することがあり、その限りで対向関係を有し、組合が活動すべき余地が存するわけである。従って、

【12】「解雇がたとえば不当労働行為として無効であるならば、解雇後も引続き従業員たる地位を保有しているのであるから……解雇の効力が確定するまでは、いわば従来の労働関係の清算をしているということが出来

るのであつて、この意味においては、比喩的ではあるが従業員たる地位の残像が存するといえる」(東京都職員労組事件、東京地判昭二五・九・六労民集一・五・七九二)。

として被解雇者団体の団交権を認めた判例は、結果において妥当であるが、必ずしも理論的には肯じ難い。即ち、「解雇が無効であるならば」、まさに判示の如く「解雇後も引続き従業員としての地位を保有している」のであつて、その間における交渉は決して「従来の労働関係の清算」ではない。このような場合の団交拒否に労組法第七条二号の適用があるのは当然のことである。

次の事例も、労働委員会が解雇を不当労働行為であるとして復職を命じた事件における使用者の応渉義務を認めた例であるが、右の事例と異つて、交渉拒否当時は未だ不当労働行為の認定がなされておらず、かつ又、被解雇者団体自体の団体交渉権に関するものではない。

【13】 (事実) 使用者はその雇用する労働者が総評系組合の一支部として組合を結成したことに不満を抱き、たまたま従来より事業の経営が赤字続きであつたことに藉口して、事業を閉鎖し、一部の残務整理要員を残して全員を解雇した。本部組合はこれを不当労働行為であると考え労働委員会に救済を求めると共に、使用者に解雇の撤回及び従来からの賃上げその他の要求をかかげて団体交渉を申入れたが、使用者は支部組合員たる従業員はすべて解雇したことを理由にこれを拒否した。なお労働委員会はこの命令の中で右の解雇は不当労働行為であると認め、復職命令を出している。本件事実については後述【32】参照。

(判旨) 「使用者は、組合(総評大阪医療労働組合―筆者註)には『現に雇用している労働者』が加入していないから、団体交渉に応ずる義務はないと主張するが、被解雇者が解雇の効力を承認し、雇用関係についての問題を残さない場合は格別、現に解雇の効力を争つている本件の場合には、使用者は組合の求める団体交渉に応ずる義務が存するのであるから、使用者の主張は失当である」(都島友の会事件、大阪地労委昭三二・一〇・一〇命令、不当労働行為事件命令集一六＝一七・九三)。

被解雇者団体に労働組合法上の権利を認めないものとして次の例がある。

【14】「本件小松製作所労働組合退職者同盟なるものの性格は必ずしも明確ではない。先ずこの同盟は前示認定の如く本件解雇通知を受けた従業員の不平組が先の任意退職者中の一部の者を誘つて組織したものであるが、その構成は多く委任状の提出又は交付によるものであり同盟員各自の資格、立場、意思、主張を分明に捕捉することの困難な雑多な諸分子を包括する所謂寄合世帯の観を呈するものであることは否むことができない。次にこの同盟は小松製作所労働組合退職者同盟と銘打つているが、考察の重点をその後半の退職者同盟に置けば退職を自認した文字通りの退職者の同盟と見られるし、前半の小松製作所労働組合の文字におけば退職を否認し依然たる小松製作所の従業員としてその労働組合の一員たることを主張する者の結成した特殊の組織体たることが肯かれ本同盟の複雑にして曖昧な性格をその名称によつても証明するに余りがある。今かかる性格の右同盟が果して労働組合法上の労働組合たる資格を有するか否かを決定することから出発しなければならない。労働組合を定義する旧労働組合法第二条は労働組合とは労働者が主体となつて自主的に労働条件の維持、改善其の他経済的地位の向上を図ることを主たる目的として組織する団体であると規定するから労働組合たるには各構成員間に団結体たるにふさわしい共通の基盤としての利害関係と共同に追求すべき目的とによつて貫かれる普遍団体的な連帯意識の紐帯を具備することを要し且つその目的は労働条件の維持改善其の他経済的地位の向上を図ることを主とするものでなければならないことから言つて現在又は将来の使用者との間に存し又は存すべき労働関係を前提としその関係における賃銀、労働時間其の他の労働条件並に一般雇傭契約上の権利につき労働者に有利な経済的地位、待遇を維持し、増進し又は獲得するものでなければならないものと解すべく、然るに右同盟の性格には先に見たように全同盟員間に右のような統一的な共通の基盤に立脚する権利関係や共同の統一的目的に結ばれた全一体的な連帯意識なく亦其の主体たる一部同盟員の意図する結成の目的は単に労働関係の存否を決する解雇の効力をめぐつて使用者と対立抗争し解雇の無効に関する自己の主張並に之に附随する争点を自己に有利に導くことのみに存し賃金労働時間其の他の労働条件並に一般雇傭契約上の有利な経済

的地位、待遇の維持増進を計るものではないから右退職者同盟はついに労働組合法上の労働組合たる資格を具備することのないものと断ぜざるを得ない……。

　右の如く本件被解雇者ら及び之を主体とする退職者同盟のいずれにも労働組合法上保護されうべき団体交渉権は否定されたが然し憲法第二十八条は勤労者の団結する権利及び団体交渉その他の団体行動をする権利は之を保障すると規定し労働組合法は憲法の右精神に立脚して特定の要件を具えた労働者の団体を特に労働組合と呼び其の第一条(旧)に於て労働組合の団体交渉その他の行為であつて労働者の地位の向上を図り経済の興隆に寄与する目的を達する為めにした正当なものについて刑法第三十五条の規定が適用されると宣言したのである。本件退職者同盟員は以上の如く会社に対して労働組合員たる資格はないけれども、しかし苟も勤労者たる資格を具備する限り憲法の前記権利の享有から除外される理由なく時と場合によつてはその団結的な合同行為の正当なものについては右労働組合法の類推解釈により違法性の阻却されることのありうることも考えられる(傍点筆者)」(小松製作所退職者同盟事件、名古屋高金沢支判昭二九・六・三〇刑集七・一・一七四―一七九)。

　右の判旨では「退職者同盟」が労働組合法上の労働組合といえるかどうかは断定できないように思われる。特に、その目的が「解雇の効力をめぐつて使用者と対立抗争し、解雇の無効に関する自己の主張並びにこれに附随する争点を自己に有利に導くことにのみ存し、賃金、労働時間その他の労働条件並に一般雇傭契約上の有利な経済的地位、待遇の維持増進を計るものではないから……労働組合法上の労働組合たる資格を」有しないとした点は疑問とせざるをえない。即ち裁判所は解雇が労働条件又は労働者の待遇に関する基準に当らないと解したために、こうした判断をなしたものであるが、解雇の効力を争うことはまさにその判決に言うところの「雇傭契約上の待遇の維持」そのものを目的としているのであり、かつは解雇も労働条件と解するのが現在の通説である。特に本件の如き被解雇者としては、先ず最初に決めらるべき最大の労働条件なのである。

以上の三例に共通するところは解雇の効力に争いがあることであるが、解雇が無効なことが歴然たる場合は勿論、それに疑が残つている限り被解雇通告者は団体交渉の面では全く従業員と同様に取扱わるべきである。何故なら団体交渉権行使の要件たる対向関係は明白であるからである。仮に被解雇通告者にその使用者に対する団体交渉権を認めぬとすれば、使用者は一方的に解雇通告を発することによつてこれを不満とする団体交渉をも封じ去ることができることとなり、労働組合法第一条及び第七条二号の意義は著しく減少するであろう。

このように考えれば「被解雇者団体」独自の団体交渉権の問題は、解雇が終局的に確定するか或いはその必然性が明白でありながら、未払賃金が残つていたり、再雇傭の特約があるなど、なお従前の労働関係の残滓が存する場合に限定される。この問題に関する判例は見出すことができないが、次のように考えることができよう。即ち、解雇について争いがない以上、被解雇者と元使用者との間には現在・対抗関係が存在せず、従つて労組法第七条二号の問題はありえないかに思われるが、現在存在する問題がかつての労働関係より生じたものである以上、その問題に関する限り、被解雇者を現に雇用する労働者と区別すべき理由はない。実際上も前述のような問題が各個に処理されるより統一的に解決される方が合理的でもあり、かつ、使用者としてもそれによつて格別の支障を生ずるとも思えないのである。ただ、このような被解雇者は労組法第七条二号の「雇用する労働者」とはいえないであろうが、以上のような理由から、被解雇者団体の団体交渉にも同号を類推適用すべきものといえるであろう。

四　日傭労働者の団体

失業対策事業等に従事する日傭労働者によつて結成される自由労働組合も法律上の要件を満す限り適法な労働組合として取扱わるべきことはいうまでもない。ただ、これらの組合の行う団体交渉なるものは、失業対策事業の事業主体たる国又は地方公共団体に対する交渉と、就業斡旋者たる職業安定所長や地方公共団体の労務行政担当職員に対する交渉の二種があり、その性格は必ずしも明確ではない。

先ず事業主体との交渉についてみれば、失対労働者と事業主体との関係が労働者と使用者の関係と言いうるかという問題、更に緊急失業対策法第一〇条二項等の規定により、労働条件を当事者間の自主的交渉によつて決定することに著しい制約を加えられているため、これらの組合に団体交渉権があるということに疑問が生じないわけではないが、判例はこれを承認しているものが多い。

【15】「組合員である日傭労務者と市との間に継続的な即ち一定期間を定めた雇傭関係はないけれども、平均一日六百名の労務者について一日を単位とする雇傭契約が一ケ月十日乃至二十日間連続又は間隔的に続けられておること、市の営んでいる失業救済事業は営利事業ではなく緊急失業対策法に基く失業対策事業若しくは公共事業であるけれども其の公共事業にあつても日々傭い入れられる労務者は全くの現業夫で公務員的性格を備えず、其の雇傭契約は純然たる私法上の契約であること、市は地方公共団体として緊急失業対策法に基いて一定の国庫補助を受けて失業救済事業を営んでいるものであるから、法令の範囲内に於て一定の失業者を雇い入れ上記の事業に就かせ之に賃金を支給する義務を負担していること、換言すれば失業者である日傭労務者は

法定の手続を経て市の営む失業救済事業に就労して賃金を受ける権利をもつていることと、労働組合法のもつ社会的性格とを併せ考えるとき判示労働組合の団体交渉権を全面的に否定し去ることには躊躇を感ぜざるを得ない。もつとも其の団体交渉権が右に述べたような失業救済の特殊性（失業救済事業が失業者の救済を目的とするもので営利事業ではないこと――筆者註）から、内容的に著しい制限を受けることは否めないところであるけれども、しかしかかる労働者の前述の如き労働権及び団結権を保障する為に例えば使用者となるべき市が法令に定められた失業救済事業を営まず或は不当に其の事業又は人員を縮小したような場合、日々の就労において、法定の賃金を支給せず或は法定の労働時間を守らないような場合（もつとも斯様な労働基準法違反の場合には労働基準監督官が其の監督権を行使し、又使用者に労基法違反の刑事責任を生ずべきこと勿論であるが、このことの故に労働者の自救権としての団体交渉権、団結権を否定すべきではないと考える）其の他労働組合員である故をもつて雇用を拒否したような場合には組合は其の組合員である労働者の利益を擁護する為に、使用者である市理事者に対し組合の名において交渉する権利、即ち憲法第二十八条の保障する労働組合法上の団体交渉権を有するものと解すべきであろう」（舞鶴市役所就労要求デモ事件、京都地舞鶴支判昭二五・一二・二二刑資一〇二・六七六）。

【16】「失業対策事業に雇傭される労働者は労働組合法第三条にいわゆる賃金、給料その他これに準ずる収入により生活する者に該当することは明白であるから、かかる労務者と事業主との関係は仮令その形式は各人一日限りの雇傭関係にすぎず、その日以外は何ら使用者対被用者という関係がないように見えるとしても、その実質においては当該失業対策事業が継続する限り、その事業主との間に使用者対被用者の関係が継続するものと認めるのが相当である。しかして……これらの者に対しては労働組合法の規定が排除されていない（地方公務員法補則第五十八条参照）のであるから右失業対策事業に従事する労働者は労働組合法の規定するところに従い、その労働条件を改善するため事業主との間に団体交渉権を有すると解するのが相当である。事業主体側に賃金額の決定権がない（緊急失業対策法第十条、同法施行令第五条三号）ことは、これを以て直ちに失業対策事業労務者に対する労働組合法第七条の規定を排除する事由とは認められない」（長野自由労組事件、東京高判昭二八・一一・一七刑集六・一二・一七二四―一七二五）。

【17】　失対事業における事業主即ち地方公共団体と労働者の関係は公共職業安定所の紹介により当日一日限りの契約を以て締結される点から、形式的には非継続的であるが、ここから直ちに自由労働組合と事業主体との労働関係までが一回的なものと断ずるのは法の目的とわが国の経済事情に目を掩う皮相的観察で正当でないとし、自由労働組合の性質と実態を明かにし

「この組合に属する者のうち誰かが連続的にであれ間隔的にであれ、特定の事業主体即ち使用者に雇われている事は必然であるから該自由労働組合と使用者との関係は個別的一回的なものではなく、集団的継続的対向労働関係に立つものと認めて何の妨げもない。そう認めるのが正当である。

次に自由労働組合の団体交渉権の問題であるが事業主体たる地方公共団体に賃上げや就労日数決定の権限がない事は法の定むるところである（緊急失業対策法第十条第二項同法施行規則第八条）。然しこれについても単なる陳情として看過し得ない場合があろうし、これを除外してもその他の労働条件の維持改善に交渉の余地があり、組合員の就労拒否に対して交渉することも可能であるから自由労働組合に団体交渉権を排除すべき理由は少しもない。

蓋し団体交渉権は労働者の団体それ自身又は組合員のために使用者又はその団体と労働協約の締結その他の事項についての妥結を目的として行う団体としての平和的手段による交渉であつて、使用者被使用者間の対向的労働関係を前提とするけれども、これあるを以て足りるからである。そして労働者の労働権確保のためには現存する労働関係のみならず労働関係への結びつきないし労働関係からの離脱に関しても共に団結力による自主的解決を認めなければならないからである（傍点は筆者）」（三重自由労組事件、津地判昭三一・三・二一労働関係判例集五四三―五四五）。

右の肯定説に対して、事業主体との交渉を団体交渉と認めないものとして次の二例を挙げることができる。

【18】　「自由日傭労働者と長崎県とは何等雇傭関係の存在はないのだから雇傭関係を前提とする使用者被用者の関係でなく（緊急失業対策事業の関係で潜在的雇傭関係があるという観察も出来ないわけでもないが、公

共職業安定所に登録された失業者は単に右事業主体に将来使用され得る地位を取得しその将来に対する一種の期待権があるに過ぎないから、正確な意味では雇傭関係ありと断ずるわけにはいかない）（傍点は筆者）」（長崎自由労組事件、長崎地判昭二八・一〇・二〇八刑資一〇二・七七六―七七七）。

【19】「日本国憲法第二十八条の規定する勤労者の団結権、団体行動権殊に団体交渉権が所謂日傭労働者にも保障されるべきであるとなす所論は原則論としては固より正当であるがこの憲法上の保障は使用者対被用者（勤労者）の関係にあたるものの間に於て経済上の弱者である勤労者の利益を擁護することを目的とするものであるから使用者でないものに対して団体交渉権を行使するということは許さるべき筋合でないこと言を俟たぬところである。然るに本件被告人等原判示労働組合員は所謂日傭労働者として緊急失業対策法の定めるところにより、公共職業安定所の紹介を得た日に限り輪番で仙台市の失業対策事業に雇傭されていたに止まり同市と継続的雇傭関係に在つたものでないから、被告人等組合員中に偶々原判示当日輪番にあたつて就業していたものがあつたとしても就労時間限りで雇傭関係は一応切れるわけであり、又残余の組合員は現実には雇われておらず将来雇われることのあるべきものというに過ぎないから、このような関係に立つ被告人等組合員が専ら将来に関する事項につき組合の名に於て仙台市に対し団体交渉をなすことは雇傭関係という前提を欠き許されないと謂わなければならない（傍点は筆者）」（仙台高判昭二八・一〇・一六高裁特報三五・六一）。

思うに団体交渉の前提たる労使の対向関係は事実的・社会的関係であつて厳密な意味での法律上の雇傭関係に限定さるべきではない。更に労働組合と使用者との対向関係が認められるためには必ずしもその組合員の現在の雇傭関係を必要とするものではなく、殊に自由労働組合にあつてはその組合員がある失業対策事業に給付さるべき労働力の主体たる事実乃至可能性を有すれば、当該事業の事業主体たる公共団体との間に集団的労働関係に立ち、対抗関係を有するものと解すべきであろう。従つてこのような場合、自由労働組合は事業主体に対して、その組合員のために個別的労働関係の創設、改善、終了をめぐつて団体交渉権を有するといわねばならない。又、交渉による労働条件改善の可能性については前記【15】の判例が詳しく述べているので、ここに再論を要しないであろう。

なお、事業主体に対する交渉も、その内容の如何によつては団体交渉と認められない場合があることは当然である。次の事例はいわゆる越年資金の要求に対する判決である。

【20】「原審の認定した事実によれば『本件交渉は前記失業対策事業に従事する労働者としてその労働条件の改善を図る為の団体交渉と云うよりも、むしろ、長野市民たる被告人等失業者の最低生活を保障する為長野市長に対し生活資金を支給すべきことを要求するのが主眼と認められるのであつて、かかる交渉は使用者対被用者の関係を前提とする団体交渉権の行使というには該当しない。』というのである。それ故、原判決の結論は正当であ(る)」(長野自由労働組合事件、最決昭二九・九・三〇裁判集九八・一〇〇三)。

この判決は原審の判決(東京高裁昭和二八・一一・一七、前掲【16】)をそのまま引用し是認したものであつて、直接に最高裁の見解が示されてはいないが、「失業対策事業に従事する労働者としてその労働条件の改善を図る為の団体交渉」は最高裁も認めるであろうということが推察される。

次に職業安定所に対する交渉についてみれば、殆んどの判例はこれは団体交渉に非ざるものと判断している。

【21】「憲法二八条は使用者対被用者すなわち勤労者というような関係に立つものの間において経済上の弱者である勤労者のために団結権ないし団体行動権を保障し、もつて適正な労働条件の維持改善をはからしめようとしたものに外ならないと解すべきことは当裁判所大法廷の判例とするところである(判例集三巻六号七七二頁以下参照)。しかるところ職業安定法四条二号によれば政府は失業者に対し職業につく機会を与えるため必要な政策を樹立し、その実施に努めねばならないこと勿論であるが、政府ないし愛知県が失業者に対し就職

の斡旋をすることは使用者対勤労者というような関係に立つものではないのであるから、本件被告人等の所為が憲法二八条の保障する団結権ないし団体行動権の行使に該当しないのは多言を要しないところである（傍点は筆者）」（名古屋職安日傭労働者事件、最判(小)昭二八・五・二一刑集七・五・一一一五）。

【22】「憲法第二十八条は使用者対被用者即ち勤労者という関係に立つものの間において経済上の弱者である勤労者のために団結権乃至団体交渉権を保障したものに他ならないところ、職業安定所長は勿論使用者ではなく、就労等の斡旋機関にすぎないのであつて、被告人等の本件交渉をもつて右団体交渉権の行使ということはできない」（郡山職安事件、福島地郡山支判昭二九・二・一一刑資一〇二・八八八）。

【23】「原判決の肯認する第一審判決の認定事実によれば、被告人両名は郡山自由労働者組合に属する組合員であるところ、同組合所属の他の日傭労働者と共に郡山職業安定所長加藤金伍に対し賃金増額並びに完全就労等の要求をなし、右日傭労働者全員に面会せられんことを求めたところ、代表者五名以外とは面会しない旨の回答を受けたのでこれを不満とし、㈠被告人柳内は右日傭労働者約一五〇名と共同して、同安定所の職務に従事中の同所長等職員に対し判示の通り暴言を吐き一団となつて罵詈雑言をなし気勢を示して同所長等を脅迫し、㈡被告人荒井は右㈠の犯行に呼応して日傭労働者多数の威力を示し判示同所長名義の掲示をはぎとり毀棄し、㈢被告人両名は同所長より退去を命ぜられたのに拘らず右日傭労働者約一五〇名と共同して同所長の看守する同安定所を不法に占拠して退去せず、㈣被告人柳内はその頃同所で右建造物侵入罪の現行犯人として巡査部長泉川歩に逮捕されようとした際、同巡査部長の左腕をつかみ、その腕時計をむしりとる等の暴行を加えその公務の執行を妨害した、というにある。右によれば被告人等を含む判示自由労働組合所属日傭労働者の判示職業安定所に対する関係は被用者対使用者の関係でないこと明らかであるから、この関係においては、憲法二八条は被告人等日傭労働者に対して団結権ないし団体行動権を保障したものでないことというまでもなく、判示のような関係からなされた被告人等の判示行為は憲法同条に保障する団体交渉その他の団体行動権の行使に該当せず、これを正当の行為ということはできない」（前掲【22】上告事件、最判昭三二・二・五刑集一一・二・四八四―四八五）（同旨、東京高判昭二七・七・一七高裁特報三四・一一九、仙台高判昭二八・九・二一刑資一〇二・五一六、名古屋高金沢支判昭二八・一〇・三高裁特報三三・一五六、最判昭二九・六・二四刑集八・六・九五一、最判昭三三・二・二七刑集一二・二・三三二等）。

確かに職業安定所長は就労斡旋機関であつて、これらの日傭労働者を使用する者、つまり失業対策事業の労務者と対向関係に立つ使用者としての地位にあるのではない。従つて、たとえ職業安定所長等が交渉を拒否しても不当労働行為とならない（応渉義務がない）ことは言うまでもない。然しながら、職業安定所長は就労紹介についてはもとより、一定限度内において労働条件についても権限を有するところから、これに対する交渉をも団体交渉であると認めた判決がある。

【24】「職業安定所長は失対事業の適正な運用を図るため都道府県に又はこれを経由して労働大臣に対し失対就労者の就労日数、賃金等労働条件に関する労働大臣の職権事項についてその発動を求めることが出来るというべきで……全く右の労働条件に関する権限がないと断じ去るべきでなく制限された形態に於てではあるが、これを肯定すべきものと解する。故に自由労働組合は公共職業安定所長に対してその権限内の事項についてはもとより、失対事業にかかる労働条件等の維持改善につきその職責の遂行を促し、更に労働大臣に対して指向する職権の発動を求めるための交渉をする事が出来るとされなければならない。これがとりもなおさず同組合の団体交渉権である」（三重自由労組事件、津地判昭三一・三・二、前掲【17】）。

尤も、右の判決に言うところの団体交渉権が、労組法上厳密な意味での団体交渉権であるか否かは疑問である。即ち、仮に職業安定所長が交渉を拒否したとしても、右裁判所がこれを以て不当労働行為と判断するとは解せられないのである。従つてここで団体交渉権を認めるというのは、使用者ではないけれども判示のような意味において労使関係の重要な関係者としての行政機関に対する一種の請求権を団体的に行使することを承認したものと解せざるを得ない。このような団体行動権は当然憲法第二八条の保障するところと考えられる。以上のような意味において職業安定所長等に対する交渉が全く憲法第二八条の保障の外にあるとする最高裁の判例（前掲【21】）が「改めらるべきものと信ずる」と述べるこの判決を妥当なものとすべきであろう。

三　交渉担当者

一　組合側交渉担当者

（一）　組合の代表者　団体交渉は使用者と労働者の団体＝組合との間になされる交渉であるが、実際に交渉に当る者は組合の代表者又は代理人である。この点につき労組法第六条は「労働組合の代表者又は労働組合の委任を受けた者は労働組合又は組合員のために使用者又はその団体と労働協約の締結その他の事項に関して交渉する権限を有する」と規定している。労働組合の代表者とはその者の行為が当然組合の行為となるような団体の機関をいい、労働組合の組合長、副組合長、或いは執行委員と呼ばれているような者は、通常、こうした代表者と考えられる。従って

【25】　「申請人保田、同石田の両名は『被申請人会社は申請人等が被申請人会社の構内に立入ることを妨害してはならない』との仮処分及び『被申請人会社は申請人等所属の労働組合と団体交渉をするに際し申請人等を右組合側団体交渉員となることにつき妨害してはならない』との仮処分を求めているが、その前者については雇傭契約上労務者は当然に使用者の事業場内に立入る権利を有するものではなく、その他申請人等は何故にこれに立入る権利を有するかについて主張をしていないし、後者については同申請人等が被申請人会社対日本ビクター労働組合の団体交渉をなすにつき同組合を代表する資格を有することの主張並びに疎明がない（申請人等が日本ビクター労働組合の執行委員長又は執行委員であることは当事者間に争ないところであるが、このこ

とから当然に申請人等が団体交渉のための代表権を有するということは出て来ない）から、右申請はいずれも理由がない（傍点は筆者）」（日本ビクター事件、横浜地決(仮)昭二九・七・一九労民集五・四・三八八）。

というのは不当である。申請人等が組合代表者であるか否かが明らかでないなら格別、執行委員長等の組合代表者であることには争いがないのであるから、重ねて団体交渉権限を有することの証明は必要としないと思われる。もとより使用者が特定の組合代表者に交渉権限のないことを立証すれば、その者との交渉を拒否することができるが、そうした積極的な立証をなさず、単に交渉権限の立証がないというだけでは組合長等の組合代表者との交渉を拒否する正当理由とはなりえないと解すべきであろう。

　このような代表者の権限は通常は交渉・決定権であると考えられる。しかし交渉事項や代表者の地位などにより、交渉権の内容が組合規約によって制限されているときは、その範囲外にわたる交渉権限が認められない。

【26】「組合が組合員たる経営協議会委員に附与した本問題の折衝に関する権限は……執行委員会の附与に係るものであつて、執行委員会としては自己の有する権限以上のものを他人に与えることはできないから、この場合、組合側経協委員の与えられた権限は執行委員会と同等又はこれ以下のものでなければならない。ところで組合規約第二一条によれば執行委員会の権限は、組合の執行機関として(1)大会決議(2)中央委員会決議及び(3)第一六、第二〇条所定の事項以外の緊急事項の処理執行を為すことにあつて、右の除外事項たる第一六条は、大会の専決事項（この中には第九号として『その他組合員に重大な影響を及ぼす事項』が掲げられる）であり、第二〇条は中央委員会専決事項（この中には第四号として『組合員以外の雇傭』、第五号として『その他各号に準ずる事項』がある）であるから、これらの規約条項を合理的に解釈するときは、組合員の解雇の承認の如き

組合員に重大な影響を及ぼす事項の如きは、緊急の場合その他如何なる場合においても執行委員会の専決事項と解することはできない。それ故、本件の場合における組合側経営協議会委員はたとえ組合より本交渉についての全権を授与されたとの表現を用いたことがあつたとしても、その権限なるものの性質はあくまで交渉権限として理解すべきであり、自己の意思を組合の意思として決定せしめうる所謂決定権限ではなかつたものといわざるを得ない」（阪神電鉄事件、大阪地決昭二八・一二・二五労働関係判例命令集（昭三〇）六九六）。

それゆえもしも制限範囲外にわたる交渉を行つた場合には、それを越えた部分につき、事情に応じ無権代理に準じて取扱われると解することができよう。

労働組合の書記長あるいは事務局長は当然には対外的に組合を代表するものではないけれども、場合によつては交渉権限が認められる。

【27】「（労働組合事務）局長が本来組合を代表すべき組合長及び副組合長に代つて会社側と団体交渉をなすことができるかの問題であるが、当日小川組合長は組合員にとり囲まれて団体交渉の場に赴くことができない状況にあり、又塚本副組合長は病中であつたことが……窺うことができるから、斯様な状況の下にあつては佐藤局長は組合長及び副組合長に代つて会社側と団体交渉をなす権限を有するものと解して差支えない」（嘉穂鉱業事件、福岡地判昭二八・一一・一九労働関係判例命令集（昭二九）二七九）。

（二）組合の委任を受けたもの　以上のような組合代表者以外の者でも組合の選任を受ければ組合の団体交渉権を行使することができる（労組法六条）。組合の委任を受けて交渉員となるものについては法令上の制限がない。即ち、労働組合の自主的判断に基きその選任がなされるのであつて、その労働組合の組合員である必要もない。

【28】「団体交渉における組合側の代理人又は交渉委員は、組合側において何らの制限をうけず自主的に選

ぶべきものであることはまことに当然のことであつて、之に対して被申立人（会社）が独自の見解から単に希望を述べることは、これを直ちに不当介入と認むべきものではないが、団体交渉における組合側交渉委員中に使用者の希望にそわない者が含まれているからといつて之らの者を使用者の希望通りに排除しないならば団体交渉はこれを申入れた申立人の拒否によつて開催されなかつたものと主張し団体交渉を開催しなかつたことと自体は団体交渉を正当な理由がなく拒否したものと認める他はない」（東京芝浦電気事件、神奈川地労委昭二五・七・二五命令、不当労働行為事件命令集三・一七四―一七五）。

（三）　被解雇者　団体交渉においては被解雇者も従業員と同様の取扱を受くべきことについては前述した（三二の）。それは、一般に被解雇者と呼ばれる者は、使用者と何ら特別の関係を持たない第三者とは異り、或程度の契約的対向関係が残存するからである。ところがこの対向関係の残存が却つて使用者をして被解雇者を組合側交渉委員とする団体交渉を敬遠せしめることになりやすい。この点に関して次の例がある。

【29】　（事実）　会社側は「永浜は企業の破壊的危険分子として解雇せられた者で従業員として確定した地位を有する者ではない（同人は解雇通知をうけたが当時は従業員としての地位を保全する仮処分決定を得ていた―筆者註）、会社がその解雇を有効と確信して係争中の者を交渉の相手方としては団体交渉の趣旨にも合致せず、到底円滑にして誠意ある団体交渉を期待しえない」といつて同人等を交渉委員とする団交に応じなかつた。

（判旨）　「そもそも労働組合の代表者が労働組合又は組合員のために使用者と労働協約の締結その他の事項に関して交渉する権限を有することは労働組合法第六条によつて明らかであるところ、組合の代表者として何人を選任するかは組合員において自主的に決すべきものであるから、既に永浜が組合の代表者に選出されている以上、たとえ会社において前記解雇により既に同人が会社の従業員でないと信じていても、単にそれだけの理由で使用者たる会社は組合が永浜を交渉委員として団体交渉に参加させることを拒否してはならない筋合である。いわんや本件の場合その解雇理由がいか様にあれ、永浜対会社間の前記仮処分決定により解雇無効確認等請求事件の本案判決確定に至るまで会社は永浜を会社の従業員として取扱わなければならないことになつているのであつて、右決定は現に有効に存続中である。いやしくも仮処分という公権的判断によつて永浜が会社従業員としての暫定的保護を得ている以上、会社は組合に対する関係においても右判断を尊重せざるを得ないのであつて、その保全せられた会社従業員の地位が確定的のものではないとか、現に訴訟事件として係争中とかいう理由で右判断を無視乃至無視するに等しい行動を採ることは許されない。しかも組合は右仮処分決定のなされるに及んで漸く永浜に対し同決定の趣旨に副つて組合員としての資格を認め執行委員に選任したものであるから、組合が永浜を組合側の交渉委員の一人として団体交渉に参加させることをもつて会社側の人格を無視し誠意に欠けるものというのは当らない。従つて会社の主張する右理由は組合に対し永浜の団体交渉参加を拒否する正当理由とはなし難い（傍点は筆者）」（阪神電鉄事件、大阪地決昭三〇・四・二一労民集六・三・三二〇—三二二）。

この他、「竹之内商店事件」（鹿児島地労委昭二九・一二・二三命令、不当労働行為命令集救済編五五五）が全く同旨である。

【29】は解雇された者が引続き組合役員として残留する場合であるが、委任を受けて交渉委員となる者についていえば、全くの第三者であつても差支えないのであるから、解雇について争いのある者は勿論、何らの争いを残さない被解雇者も交渉員となることができることはいうまでもない。第三者委任禁止条項については後述する（一四の一）が、仮に同条項が組合の交渉委任の範囲を制約するとしても、少くとも解雇に争いが残つている限りその被解雇者を第三者と見ることはできず、従つてこれらの者に交渉を委任することは委任禁止条項違反の問題は生じないというべきである。

二　応渉義務者——使用者側交渉委員

団体交渉というのは組合側代表者と使用者側代表者とが労働協約の締結や労働条件その他の事項につき交渉し決定するものであるから、使用者側交渉委員が当該交渉事項について処分・決定権限を有する者でなければならない。また、使用者側交渉委員たる者に十分な交渉権限があれば足りるので、必ずしも社長自らが交渉に当ることを要しないのである。この点、次のような判例がある。

【30】「社長が団体交渉に出席しなかつたのは社長が団交を逃避して正当な理由なく団交を拒否したもの」との組合側の主張に対して

「会社と第一組合との団体交渉に社長松山喜一郎が出席しなかつたことは当事者間に争いのないところであるが……その間会社の代表権限を有する取締役が団体交渉に応じておりしかも……会社、第一組合間に協定が成立しているのであり、その協定の一部は既に実行に移されていることは既に当委員会の認定するところであるから、会社が団体交渉を拒否したものとなすことはできない」（平安工業事件、京都地労委昭二九・三・一二命令、不当労働行為命令集棄却編九〇八）。

ところで、右のように使用者は十分な交渉権限を持つ者を団体交渉に当らせねばならないということは、逆にそのような権限、特にその交渉事項につき決定権を有しないことを交渉拒否の正当理由とすることを認めるものではない。次の事例はこのことを判示している。

【31】「団体交渉には双方とも権限ある責任者が代表者として参加することが要求されていること、スト賃の問題（ストライキ中の賃金差引及び立替払の問題——筆者註）は会社本店の所管事項であつて、支店長には権限のないことが認められるので、ことスト賃に関しては、支店長は団体交渉に応ずる義務がないかにみえる。しかしながら、支店長は支店に関する限りいわば会社の窓口ともいえる立場にあるのであるから、支店の従業員（組合員）としては、支店長を通じて賃金その他自己の利害に関する事項につきこれと交渉しうるのであつて、支店長としては、これらの事項につき妥結の権限があるか否かは別として一応誠意をもつて交渉に当り、組合の意向を充分聴取し、また自己に権限がなくともその意見を本店に具申して処断を仰ぐことは可能であるから、自己に決定権がないことは団体交渉の申入れを極力回避する正当な理由とは認められない（傍点は筆者）」（九州電力佐賀支店事件、佐賀地判昭三三・九・一八労民集九・五・一六六）。

【32】（事実）　被申立人（使用者）は保育所及び診療所の設置経営を行う社会福祉法人であるが、その経営する病院の従業員が労働組合を結成し、総評大阪医療労働組合の支部として発足した。そして直ちに(1)労働基準法に明記されている労働者の諸権利の確認　(2)夏季手当一ヶ月分支給　(3)一率一千円賃上げ　(4)定期昇給制度の実施　の四項目について、書記長及び支部長連名で理事長に団体交渉を申入れた。これに対して理事長は病院の組合員となら会うが総評からの申入れには応じ難い、又、経済要求が含まれておるので理事会を開くまで回答し難い等と答えて団体交渉を拒否した。その後、病院経営が赤字であるとして「診療を閉鎖して計理を整理するがよいか、診療を続けながら整理をして行くがよいか、その場合組合の要求をいかに処理するか」について整理委員会が作られたが、理事長はこれらを口実にして団体交渉を拒みつづけた。

（判旨）「使用者は、組合の団体交渉申入れにつき、それが定款に基き、理事会の議決を経なければ、その諾否を決することができない要求事項であつたため、即座には団体交渉には入り得ない旨回答したに過ぎないと主張するので、この点について考えるに、理事長が法人の業務のすべてを独断専行し得ない場合においても、法人の代表機関である理事長が組合の要求事項についてその説明を受け、相互に主張検討した後、理事会にこれを報告してその決定をまつことも、また、通常行われる団体交渉の一態様であることは疑いのないところであり、まして『労働基準法上の諸権利の確認について』という組合の要求事項中には、理事会の議決を要しない部分も存すべく、ただ単に、理事長が決定権を有しないことのみを理由に、全面的に団体交渉を拒否することは正当な理由があるものとはいい得ないから、使用者の主張は失当である。しかして、その後、使用者が総評加盟を非難し、病院のみの組合員となら会うと述べ、かつ、病院閉鎖をもほのめかし、更に当委員会の勧告に基く交渉においても、病院運営の整理委員会一任を理由に、誠意ある団体交渉をなさなかつた前記認定の事実をも考え併せるとき、組合に性急の嫌いがあつたとしても、使用者の本件団体交渉拒否の真意は、組合及び支部の存在を嫌悪する点にあるものと認められるから、労働組合法第七条第二号に該当する不当労働行為であるといわなければならない（傍点筆者）」（都島友の会事件、大阪地労委昭三二・一〇・一〇命令、不当労働行為事件命令集一六＝一七・九二―九三）。

【31】の事例は職場交渉における部課長の応渉義務に類似するが、この点については前述したところを参照されたい（二の二、六三頁）。

四　団体交渉の方法

一　交渉手続——唯一交渉団体条項、第三者委任禁止条項等

労働協約中に団体交渉の当事者についての制限があるとき、特に組合側にその制限が設けられているとき、それに違反する団体交渉の申入れは正当に拒否できるであろうか。これには主としていわゆる唯一交渉団体条項（約款）及び第三者委任禁止条項（交渉委任禁止条項）の効力の問題がある。理論的にいえば、前者は団体交渉権の主体の問題であり、後者は交渉担当者の問題であるが、共に団体交渉に関する協約条項としてその現実的機能は似通ったものをもっている。

（一）唯一交渉団体条項　唯一交渉団体条項と上位団体の団体交渉権の問題については先に考察した（五八頁参照）。ここでは同条項が他の併存的組合の団体交渉権に及ぼす効力を考えることにする。先ず判例を見ることにしよう。

【33】「労働協約中に会社が当該労働組合を会社内の唯一の自主的労働組合と認め、今後労働問題に関する一切の交渉はこの組合と行い他のいかなる組合もみとめないとの条項がある場合に、この協約条項を解約するについていかなる場合に已むことを得ざる事由があるとみるべきかは議論の余地ある問題である、元来いかなる組合であろうと労働組合法第三条（第二条？——筆者）の要件を具備するものである以上労働組合としての存在を認めらるべきものであり、団体交渉権を享有し得るはずであり、会社がこれを自主的組合にあらずと認定

するような権限を有すべきかぎりでない。したがつて右の条項は単に会社が他の労働組合とは労働協約を締結したり、その他団体交渉をしないという債務を協約の相手方になる組合に対して負担する趣旨と解する外はない。もし会社が他の組合（第二組合）と労働協約を締結した場合には該協約の効力はこれを認めるの外はないが、会社は先の協約の相手方たる組合（第一組合）に対し債務不履行の責に任ずべきこととなるわけである。そして会社の全従業員が一つの労働組合を結成し、その組合が会社との間に右のような労働協約を締結した場合においては、後日組合より脱退した者があらたに第二組合を結成するような場合をも予想したものであり、かかる場合において会社は第二組合より労働協約締結の申出があつても会社はこれを拒否すべき債務をもとの第一組合に対して負担しているのであるから、当然これを拒否すべきであり、またこれを拒否しても第二組合に対し何らの不当はないわけである。第一組合を脱退するものは自分達があらたに第二組合を結成しても会社との間に労働協約を締結し得ず一時無協約状態におかれる場合のあり得べきことを当然予想して脱退したものとみる外はないからである。被申請人会社はこの場合第二組合の団体交渉権を認めず団体交渉に応じないのは憲法第二十八条の趣旨に反するように主張するけれどもこれは正当ではない。けだし元来憲法第二十八条が勤労者に保障する団体交渉権とは勤労者が自分等の結成した団体により団体交渉をすることを国家より制限されないという自由権であつて、勤労者の団体が使用者に対し団体交渉に応ぜしむべき権利を有することを認めたものではなく、使用者は団体交渉に応ずべき義務を負担しているわけではない。そして本件労働協約第一条のような協約条項は労働者の団結を強固にする目的に出たものであつて、会社もこれを承認して、他に労働組合が結成されてもこれと団体交渉をなさざる義務を負担した以上、該協約条項を尊重すべきは当然だからである。しかも右のことは第二組合員の方が第一組合員より多数の場合と雖も差異がないはずである。ことに第一組合脱退者（第二組合員）がもとの第一組合員の過半数であつた場合には、脱退前において多数の意思を以て組合分裂並に前記協約条項解除交渉の決議をして会社と交渉の上これを失効させるという方法もあり得るのであつて、むしろかかる方法に出るのが協約を尊重する所以なのであり、かかる処置をとらずして第一組合を脱退する者は会社より協約締結を拒否せられても已むを得ないともいい得るからである（傍点筆者）」（豊和工業事件、名古屋地判昭二三・一二・八労働資料三・一八〇—一八一)。

【34】「一企業内の従業員で組織された労働組合が、その企業主と締結した労働協約の前記Ⓐ項の如き約款(会社は他のどんな組合をも認めない、という唯一交渉団体条項——筆者註)は、これによつて組合の分裂を防止しその団結を強固にせんことを主たる目的として定められたもので、それは組合の結束が維持され一応の統一を保つていることを前提としているものと解すべきである。ところが申請人の場合前記のように当時六十数名の組合員中、従来の組合の行き過ぎを不満として脱退した者が三十一名(後に申請人組合に復帰した四名を除いても二十七名)に及んで、これらがいわゆる第二組合を組織するに至つているのであつて、このように申請人組合内部に分裂を生じ、多数組合員が集団的に脱退したが為に、右協約条項の目的とする統一的基盤が失われてしまつたような非常事態においては、もはやこの種約款の効力が及ばないものと解するのを相当と考える(傍点筆者)」(愛光堂事件、東京地決昭二四・六・四労働資料六・一八七—一八八)(同旨、東邦亜鉛安中製錬所事件、前橋地判昭二八・一二・四労働関係判例命令集(昭二九)二二七)。

【35】「原告(第一組合—筆者註)は被告会社は昭和二十四年一月二十二日原告組合との団体交渉に於て原告組合以外の同種の労働組合とは団体交渉をなさない旨確約したから、前記脱退者の組織する労働組合(第二組合—筆者註)と団体交渉をしてはならないと主張するが、一使用者の雇用する労働者が排他的な労働組合を組織することができる法的根拠はなく且つ使用者との間にかかる労働協約(たとえばクローズドショップ或はユニオンショップ約款等)のあることの主張のない本件にあつては、使用者は労働組合法の規定に従い雇用する労働者の代表者と団体交渉をなすべき義務があり敢えてこれを拒否するときは行政罰又は刑罰を課せられることをも予想しなければならないのであるから、たとえ原告組合被告会社間に原告主張の如き労働協約があるとしてもかかる労働協約は強行法規に反する無効のものであつて右法律に定める使用者の義務を排除する効力を有するものとすることはできない(傍点筆者)」(浅野雨竜炭鉱事件、札幌地判昭二六・二・二七労民集三・六・五三一—五三二)(同旨、滝川化学工業事件、札幌地判昭二四・八・二五労働資料七・三二〇—三二一)。

【36】「労働組合が労働条件につき団体交渉権を有することは、労働者の地位向上の契機であつて憲法の保障する処であるから、団体交渉を拒否する正当理由は、団体交渉権の認められた趣旨に従つて極めて限られる

ものといわねばならない。本件に於て使用者が第二組合丈を団体交渉の唯一正当な相手方と定めたことは、従来団体交渉権を有していた労働組合の団体交渉権を何らの理由なくして奪うことを定めるものであるから、右のような第二組合との労働協約の定めは労働組合法第七条第二号に反し無効というべきである（傍点筆者）」（日本貨物検数事件、兵庫地労委昭二七・三・一八命令、不当労働行為命令集一部救済編三三五—三三六）。

【37】「使用者は一つの労働組合との間の唯一交渉団体約款があるからといつて、これを理由として他の労働組合との間の団体交渉を拒否しえないことはいうまでもない。たとえ労働者が少数であろうとも、その団結権したがつて又団体交渉権の奪うべからざることは当然であるから、組合員の数がいかに少くともいやしくも労働者の組織たる労働組合である以上、使用者はこれとの間の団体交渉を拒否してはならないわけである。それ故に他の組合との間に締結された唯一交渉団体約款は労組法第七条第二号の適用をうける限度においてその効力を制限されるものと解される（傍点筆者）」（博多漁船通信士会事件、九州船員地労委昭三〇・一〇・二二命令、労働法令通信八・四四・一二）。

右は主要な判例を一応年代順に並べてみたのであるが、先ず唯一交渉団体条項の効力について二つの対立した見解があることがわかる。【33】【34】【37】は同条項を有効とするものであり、【35】【36】はかかる協約条項の効力を否認する。更に有効とするもののうちでも【33】が殆んど無制限にその効力を認めるのに対して、【34】【37】は一応有効とは認めながらもその効力が他の組合の団体交渉権を制限することにはならないとしている。又、唯一交渉団体条項を無効と解する【35】【36】も、その理由は労働組合法第七条二号の規定にあるのであつてみれば、厳密な意味では、旧労働組合法下の判例たる【33】【34】と対立しているとはいえないかも知れない。或いは又、唯一交渉団体条項がその協約当事者たる組合以外の組合と使用者との交渉を阻止できるか否かという実際上の問題からみれば、【35】【36】と【34】【37】は共にこれを否定しており、ただ【33】のみが特殊な見解ということになる。なお、注意すべきことは、【33】【34】【35】がいずれも第一組合との間の唯一交渉団体条項が分裂乃至は脱退者によつて結成された第二組合の団体交渉権との関係で問題とされたのに対して、【36】では逆に第二組合との約定が第一組合の団体交渉権との関係でとり上げられていることである。このような事情の相違か或いは右のような協約条項の効力の判断にも考慮されているかも知れない。

　ところで一般論としては、右に明らかな如く、唯一交渉団体条項を有効と解する説も大部分は他の組合の団体交渉権を制限することはできないというのであるが、然らば一体どういう意味で有効なのか、どんな効力があるのか、という疑問が生ずる。この点について唯一交渉団体条項の趣旨は「これによつて組合の分裂を防止しその団結を強固にせんことを主たる目的として定められたもの」（前掲【34】）と解して当該組合が「その使用者に雇われている全従業員をその組織下におさめ、これらのもののために団体交渉を排他的に行つている事態を確認させるだけの意味をもつ」（高島良一・労働契約と団体交渉二八一頁）と解する説、他の組合との団体交渉を拒否することはできないが「その使用者が他の組合と交渉することは、協定組合との間の唯一交渉団体約款違反として債務不履行の責を免れない」という説（菊池＝林・労働組合法コンメンタール一一二頁）等が代表的であろう。前説は唯一交渉団体条項の効力を認めたものといえるかどうかは甚だ疑問である。こうした条項を協約に定めること自体が直ちに不当労働行為とはならない、というものとも考えられるが、むしろ【36】の例にもあるように、問題はかかる条項の協定が既に他の組合との団体交渉を阻止することになりはしないか、にある。後説は少くとも協定組合と使用者間において有効とする限り当然の結論といえるであろう。然し、何故に「協定組合に対して債務不履行になる」ということが他の組合との団体交渉を拒否する正当理由となりえないのであろうか。いうまでもなく労働協約の効力は債務的部分といえども単なる市民法的契約の効力ではない。更に附言すれば、そこでは使用者は他の組合との交渉に応ずれば協定組合から債務不履行の責任を問われ、これを拒否すれば「行政罰又は刑罰を課せられることを予想しなければならない」(前掲【35】)し、その組合から損害賠償を請求される(応渉義務違反)おそれもあるわけである。こうした矛盾は結局、唯一交渉団体条項を以て他の組合との団体交渉を拒否する正当理由と認めるか(前掲【33】)、或いは逆にこれを無効と解するか(前掲【36】【35】)かによって処理するの他はないであろう。而して労働組合法第七条二項の通説的解釈、更により基本的には少数団結権を認めるわが国法制に照して、唯一交渉団体条項自体が無効であるとするのが正当な解釈であろう。

(二)　第三者委任禁止条項　「組合側の交渉委員は従業員たる組合員に限る」というような、いわゆる第三者委任禁止条項の効力はどうであろうか。この問題は組合外の「受任者」の場合よりも、組合長等の代表者が解雇された場合、これらの人が「第三者」にあたるかどうかで問題となることが多い。

【38】　「労働協約第百一条に団体交渉における組合代表交渉員には礦員たる組合員を以てする旨の規定があることについては当事者間に争いがない。

被申立人(会社)は右協約の規定を理由として団体交渉の拒否は正当の理由があると主張するので、これにつき按ずるに、本件被解雇通告者が解雇の正当性を争つており、一方組合規約においては、解雇処分の争われている間は組合員たる地位を失わない旨の規定もあることだから、右被解雇通告者は現在なお申立人組合の組合員の資格を失つていないといわなければならない。加うるに申立人組合組合長・書記長を始め、組合執行委員五名中四名までが解雇通告をうけているという本件においては、労働協約第百一条を理由としてこれら被解雇通告者が組合の代表として賃金問題その他に関する団体交渉の交渉員たる資格なしとすることは、事実上対等の立場においての適正な団体交渉を不可能ならしめるものなるのみならず、労組法第七条第二号の法意にも反し無効であると考えられる。

従つて右理由による被申立人の団体交渉拒否は正当の理由があるものとは認め難い」（小倉炭砿事件、福岡地労委昭三〇・七・二命令、不当労働行為事件命令集一三・八〇）。

【39】「組合は昭和三十年四月十八日より同年六月五日に亘り屢々団交を申入れたに拘らず、被申立人（会社—筆者註）は右協定書第二項団体交渉の方式について『団体交渉は会社側の代表者と従業員代表者の間において行うことを原則とする』とあるから、昭和三十年四月十二日附にて解雇した被解雇者である平田敬三、同生野辰夫が加わる組合との団体交渉には応じられないと主張して団体交渉を拒否しておるので、この点につき判断する。

抑々本協定書が作成されるまでの経過については、組合は昭和三十年二月五日に結成され、その運営についてはまだ未熟なるため組合結成と同時に加入した上部団体である総評一般の書記長たる山崎佳郎の指導を得て、組合結成以後賃上げ闘争等の問題について、同人を被申立人との団体交渉に参加せしめていたが、被申立人は直接利害関係のない同人が団体交渉に参加することによつて、正常にして円滑なるべき団体交渉が持てないという理由と、当時アメリカ軍の秘密に関する事項が外部に漏れることをおそれるという理由（従来、会社はアメリカ軍とホテル専属契約を結んでいた—筆者註）で、山崎佳郎の加わる団体交渉を拒否した。然し組合は同年三月にはストライキに入り事態が急変し、客観状態も同年三月上旬に至り、アメリカ軍と被申立人との契約が中止されるに及び早急に事態を収拾しなければならなかつたので、取敢えず団体交渉再開のため一時的措置として本協定書が締結されたこと、並びにアメリカ軍との関係で外部第三者が団体交渉に加わることを排除する趣旨であつたことは証人……の証言により認めることが出来る。

従つて前記協定書は永久的効力を持つものでもなく、又当時組合員であつた者が後に解雇されたとしても、組合員として残留する限りこれらの者を排除する趣旨のものとは解せられない。

而して証人……の証言によれば、平田、生野の両名は本年四月十二日被申立人から解雇されたが、その後も引続き組合役員として残留しておる事実が認められるので、右両名の参加する団体交渉を拒否するのは不当と謂うべきである」（ホテル・ラクヨウ事件、京都地労委昭三〇・八・一二命令、不当労働行為事件命令集一三・四七）。

右の二つの命令は結果は似たようなものであるが第三者委任禁止条項の効力につき全く異つた見解に立つものといえよう。【38】はその条項が「労組法第七条第二号の法意に反し無効である」とするのに対し、【39】ではその協定が既に失効していることをほのめかしながら、なお「これらの者を排除する趣旨のものとは解せられない」という。つまり、第三者委任禁止条項そのものは有効に成立しうると解しているといえよう。尤も後者の場合は「アメリカ軍の機密の漏れるおそれ」という特殊な事情――それが如何程に「特殊」な事情であつたかどうかは別にしても――があつたことが考慮されたのかも知れないが、その点は「客観状態の変化」で少くとも事件当時は問題とならなかつたであろう。このように考えれば、やはり両者は基本的に対立しているといわざるを得ない。

第三者委任禁止条項の効力については、労働組合法第六条が強行規定であるか否かにからみ、学説も必ずしも一致していないが、一般的には組合自らが他に委任しないという自己制約として有効と考える説（菊池＝林・前掲書八九、一一一頁）が有力なのではないだろうか。然しながらこうした自己制約説には多分に疑問がある。組合自らが何らかの理由のために自己の組合員乃至従業員のみを交渉委員とすること自体は、まさしく自己制約であつて問題はないのであるが、かかる制約が労働協約によつて加えられるときも同様に考えてよいであろうか。労働組合法第六条の性質をめぐる論争もまさしくこの問題を焦点としているのであろう（第六条を強行規定と解する者も例えば組合規約に定められた交渉委任の制限を無効とはしないであろう）が、同条を敢えて強行法規と解しなくても一般的に第三者委任禁止条項は無効であると考えられる。即ち労働協約に第三者委任禁止条項を設けるということは、労働組合側の交渉委員選出範囲について使用者の意思による制限を認めることに他ならない。勿論、このような使用者による制約を認めることも広義には「自己制約」といえないでもないが、それは組合規約や大会の決議等による純粋の意味での自己制約とは異つている。労働協約は疑もなく労使の意思の合致点であり、両者の意思を反映するものである。ところが、労働組合の自主性を要求する労働組合法は組合の組織・運営に対する使用者の介入を一切排除しようとしている（二条・七条三号）。誰を組合の代表乃至は代理人としての交渉委員に選任するかは重要な組織問題・運営問題であることは明らかであつて、たとえ協約条項という形をとろうとも使用者の容喙すべきところではない。換言すれば第三者委任禁止条項は一般に使用者の不当労働行為（七条三号）意思の客観化であり、無効たるを免れない。これに反して労働協約中の第三者委任禁止条項の挿入が全く労働組合の一方的意思の表明であつて使用者は単にそれを容認したに止る場合はまさしく自己制約である訳であるが、そうであればその撤回も何等の制限をも受けないことになろう。このような場合にはその条項は対外的、従つて法的には何等の効力をも有しないのである。何れにしても第三者委任禁止条項を理由とする団体交渉の拒否は全く理由のないものであつて、労働組合法第七条二号の不当労働行為となることは明らかである。

二　大衆交渉

団体交渉とは労働者の団結たる労働組合と使用者との交渉の謂であつて、決して組合構成員たる労働者の個別的交渉の集合ではない。従つて組合の団体交渉権の実質的な裏付けが多数労働者の集団的威圧であるとしても、団体交渉において多数の労働者が交渉の場に入り込み、大衆的威圧の下に組合に有利な交渉の展開を図ることは、それが使用者の自由な意思を抑圧し、又は円滑な交渉を妨げることになれば、使用者はその団体交渉を拒否するについて正当な理由があるといわなければならない。然しながら、実際問題としては大衆交渉は交渉拒否の正当理由としてよりも、暴力的交渉として刑事責任の面からとり上げられている例が多い。次の事例も刑事事件である。

【40】「労働組合側と使用者側との間における団体交渉が適法であるためには、交渉が平和的で且つ秩序ある限度に止まるものであることを要し、交渉にあたる者の人数が必要以上の多数に上り、交渉の時間が過度の長時間にわたり、一部の者において激昂の余り机上を叩いて机上の硝子を破損し、多数の者が暴言を吐いて喧騒し終始交渉の相手方たる者の身辺につきまとうて食事、用便、電話等一切の行動を監視する等交渉の経過において不当の勢威が一方に偏倚するものと認められるような情況がある場合においてはその団体交渉は平和的で且つ秩序あるものとはいい難い。今、本件についてこれを見るのに、原判決引用の各証拠に徴すれば交渉の経緯に関する原判決摘示の情況事実、殊に自由労働者多数が小倉市役所土木課に到り、そのうち七、八十名の者は土木課の室外の廊下に待機し、被告人等四名はその他の四、五十名の者と共に土木課の室内に立入り、土木課長花島義一の机の周囲に参集し同人を相手に交渉し、交渉中次々と同所に参集した自由労働者の数は一時約四百名以上に達し、交渉の時間は、午前九時頃から午後七時頃に至るまで約十時間の長時間にわたり、その間、自由労働者の一名片山某の如きは激昂の余り労働手帳の束を振上げ土木課長の机に叩きつけて机上の硝子

を破損し、他の多数労働者は、室の内外で暴言喧騒を極め、ために土木課職員の執務は一時不能に陥り、他方、土木課長周辺の多数の者は、終始土木課長の身辺につきまとうて、食事、用便、電話等一切の行動を監視して威圧を加える等、本件交渉は、その経過において、不当の勢威が一方に偏倚するものと認められるような情況の下に行われ平和的で且つ秩序あるものではなかつた事実を肯認するに足り、右のような情況の下における交渉は、団体交渉の正当な範囲を逸脱するものであつて、適法な団体交渉とは認め難く、従つて被告人等の原判示所為の違法性を阻却するに由ないものと解すべく団体交渉の正当性の限界に関し、右と同一の見解に出た原判決はまことに相当であつて、これを不当として論難する論旨には賛同し難い（傍点筆者）」（小倉市役所日傭労働者事件、福岡高判昭二七・一一・八刑集五・一二・二一八四）。

【41】（事実）　賃金遅配、ユニオンショップ協定に基く組合脱退者（第二組合を結成）の解雇要求等をめぐつて紛争が続いていた時、会社は争議解決の見透しがつかないことを理由に寄宿舎止宿工員は帰郷するようにと勧告、帰郷しない者には賄の補助を打切ると通告した。寄宿舎を本拠としていた第一組合はこれを賃金遅配と相俟つて第一組合員を寄宿舎、工場から放逐せんとするものと考え、会社構内バレーコートに集つて対策を協議していたが、たまたま通りかかつた会社幹部二名と、更にその後連れて来た工場次長を含む三名、併せて五名を百人位の組合員で取囲み、前記会社通告の撤回と団体交渉の開催を要求して徹宵十数時間にわたつた。その間、会社幹部一名は脳貧血を起し卒倒したのでその者だけは帰宅を許し、他の四名に対しては、後刻、工場長宅において団体交渉に応ずる旨の約諾を得るまでその拘束を解かなかつた。

（判旨）「人の身体、行動の自由の保持や住居の不可侵は憲法上最大の尊重を払わねばならない権利であつて、之が適法に侵害されうる場合は法律に於て極めて厳格にかつ狭く規定しているのであつて、かくてこそ人は法治国の民として平和にして安全の生活を営みうるのであり、労働組合の団体交渉その他によつてかかる貴重な法益が侵害されうるという法の趣旨は何処にも認めえないし、同時に、斯様な侵害も差支えないというが如きは健全な社会通念の絶対に容認しない所である……。特に判示……の場合は労働者等が圧倒的多数の下に会社側の少数者を不法に威圧して交渉を結ぼうとしたものであり、労使対等を理念とする団体交渉を会社側をして劣等の地位において行わんとしたのであり、団体交渉と称しえざるものであり……畢竟これらの行為は統制なき大衆行動であり、労働組合の正当な行為とは認め難い（傍点筆者）」（鐘ケ淵通信工業事件、長野地上田支判昭二三・六・一九刑資二六・七〇―七一）。

右は何れも極端な事例であり、かつ単なる大衆交渉としてではなく、交渉が極めて暴力的性質を帯びていた場合であつて、その点では次項の「暴力的交渉」の問題となるであろうが、ここでは専ら大衆交渉の面を考えることにしよう。

先ず第一に大衆交渉が多くの問題を含むのは先に述べたような意味で「労使対等を理念とする団体交渉を会社側をして劣等な地位」【41】において一方的に組合側に有利な交渉が進められること乃至はその危険性が多いからであるが、団体交渉における労使対等は交渉力の対等を意味するのであつて、決して交渉員の数の対等の意味ではないことが注意されなければならない。言うまでもなく団体交渉は単なる集団交渉ではないのであるから、組合を代表する交渉員がこれに当るのであるが、この交渉員の数については通常は組合の自主的判断によつて決定され、労使間の協定がある場合にはその協定によつて定められた数の交渉委員によつて団体交渉が行われる。前者の場合、使用者は組合側交渉員の数について制約を加えることはできないと解する（前述九三頁参照）が、ただ、その数が不当に多く適正な交渉が期待できない場合には交渉を拒否することができるであろう。但し、交渉員の数が組合側において比較的多数であることは、組合側と使用者との人的構成比率からいつても一般に是認さるべきである。のみならず、労働力の独占的支配という唯一の事実を背景とする組合の交渉力と、企業の所有支配及び経営内容の熟知という使用者の交渉力との間に存在する不可避的不均衡を実質的に対等化させるためにも、或いはまた組合内部の組織に対する説得力を持たせるためにも、交渉員の数を組合側に多数認めるのが通例といつてよいであろう。しかしながら、右のような限界を越えた大衆交渉は団体交渉の拒否理由となり、更にその際、暴行、脅迫等暴力的行為が行われればその限りで刑事責任が追求されるわけである。ただしそれ以上に、その場合の団体交渉が直ちに個別的交渉の集合たる集団交渉(二の一参照)として個人的行為に分解し去るものとは断定できないであろう。

第二に大衆交渉が往々にして吊し上げ等の暴力的交渉になることは、労働関係の合理的理解の欠如によるところが大きいと思われるが、労働組合の組織の弱さ、特に企業内組合というわが国の組合組織から生ずる組合員・組合幹部の利己心がその原因として指摘されている。即ち「経営者と対立した立場で交渉するにしてもどこかでその対立的立場を緩和するか、擬似的なものであるようにみせかけるかしなければ不利になる。そこで団体交渉も多数が出かけて行うことによつて、皆で主張することにより――それでも〝要領のよい〟者はあまり喋らない、使用者に憎まれては損だから――漸く個々人としての企業忠誠に反した立場の申しわけが立つというものなのである」(沼田稲次郎・団結の研究二九二頁)と。

なお、大衆交渉と関連するものとして次のような特殊なケースがある。

【42】　「病院が団体交渉に応じなかつた最大の理由は、組合が患者自治会の団交参加、団交傍聴を求めたことにあると認められるのであつて、右は病院側とすれば是認しうる態度であるから、この団交拒否は正当な事由に基くものと云わなくてはならない」(大仁病院事件、中労委昭二九・一二・一五命令、労働関係判例命令集(昭三〇)五二五)。

団体交渉が労使間の問題であること及びその内容如何等の関係から、第三者の介入が当事者にフランクな意見の開陳を許さぬ如き事情が認められた場合であつて、妥当な見解であろう。このような第三者だけではなく、一般組合員の傍聴を求める団体交渉も、それが大衆交渉として使用者の意思に不当な圧力を加えるおそれがある場合には使用者はその交渉を拒否できるであろう。

三　暴力的交渉

およそ私的な取引行為の法的評価は当事者間における効果の面とその行為に対する社会的・国家的価値評価の面との二面においてとらえられる。労働組合法は後の面について、正当な理由のない使用者の団体交渉拒否を不当労働行為として禁止すると共に、他方、労働者側においてもその手段が正当でない限り刑事責任が追求されうべきことを示している（一条二項）。而してこの刑事責任の追求が古典的市民法理において如何に苛酷であり、現在においてもなおかかる形での責任追求が行われうる可能性が秘められていることについては前述した（一参照）。

団体交渉手段の正当性の問題は団体交渉特有のものではなく、広く団結権行使一般に共通する課題として、本研究叢書中既に詳論されている（楢崎二郎「争議行為と暴力の行使」、津曲蔵之丞「争議行為と業務妨害」―いずれも労働法(2)、藤木英雄「労働争議行為と違法性」―刑法(8)）。従つてここでは専ら団体交渉固有の面からの考察に限定しよう。

はじめに述べたように、団体交渉権が保障される所以は労働力売買における公正の期待に存し、この期待は労働者の団結＝労働力の組合的独占により担保されるものと考えられる。ところがこうした形で意図される労使の対等は必ずしも両者の「交渉力」の現実的対等を意味しない（四の二参照）。従つて労働組合としてはまさに労働組合法第一条一項の目的に沿い、かかる「期待」を「現実」とすべく団結の威力を最大限に発揮して私的所有権を背景とする使用者の優位に対抗するであろう。その戦術こそ団体交渉の手段であつて、そういう意味では団体交渉の手段の正当性は両者の交渉力の具体的均衡の中にのみ求められるのである。ただ、現行法秩序は団体交渉における均衡を必ずしも事実的・具体的に捉えず、「期待」として考える反面、使用者に応渉義務(労組法七条二号)を課したに過ぎない。更にその「期待」にも一定の枠がはめられている(労組法一条二項但書)。このように考えると、この「枠」は団体交渉権を保障する憲法第二八条の趣旨からすれば、極めて厳格に解さるべきである。団結権は決して市民的自由と同一平面において評価さるべきものではなく、既に、正当な理由なき団交拒否を不当労働行為とすること自体、市民的自由の団結権による克服であり、両者が同一平面上の併列的権利でないことを物語つている。要するに、団体交渉の手段が使用者の市民的自由を侵害し制約したということで直ちにその正当性が否認さるべきではなく、それが交渉力の現実的対等の要請上、必要不可欠のものであつたか否かが第一に判断され、次に極めて制限的に労組法第一条二項但書の問題が検討されねばならない。このように解すれば同但書は極めて重要な意味を持つことになる。従つて団体交渉手段の正当性は個々の事件について具体的に判断されねばならないのであるが、判例はどのような立場に立つているであろうか。

【43】「労働組合法(旧労組法—筆者註)第一条第二項においても労働組合の団体交渉その他の行為について無条件に刑法第三五条の適用があることを規定しているのではないのであつて、唯、労働組合法制定の目的達成のために、すなわち、団結権の保障及び団体交渉権の保護助成によつて労働者の地位の向上を図り経済の興隆に寄与せんがために、為した正当な行為についてのみこれが適用を認めているに過ぎないのである。従つて勤、

労者の団体交渉においても、刑法所定の暴行罪又は脅迫罪に該当する行為が行われた場合、常に必ず同法第三五条の適用があり、かかる行為のすべてが正当化せられるものと解することはできないのである（傍点筆者）」（板橋造兵廠食料デモ事件、最判昭二四・五・一八刑集三・六・七七二）。

右の判決は陸軍造兵廠の退職者その他の生活擁護同盟員及び一般民衆による隠匿物資引渡等にまつわる事件に関するもので、かかる行動が「憲法第二八条の保障する勤労者の団体行動権に該当するものでない」として脅迫罪に問われた事例であるが、引用部分は労働者の団体行動の正当性の限界に関し、その後の判決にしばしば引用されている（後述一一〇頁参照）。然しながら右は単に団体交渉に際して暴行、脅迫等の行為があつた場合、それが団体交渉なるが故に「常に必ず……正当化せられるものと解することはできない」というだけであつて、積極的にその限界乃至は判断の基準を明らかにするものではない。この点について、下級審ではあるが次の如き見解が示されている。

【44】「労働組合法（旧―筆者註）第一条第二項に依つて労働組合が同第一条所定の目的を達する為め為した団体交渉その他の行為が正当である場合は刑法第三十五条の適用を受け、違法を阻却し罰し得ないことは勿論であるが、何が正当なる行為であるかは特に明記して無いから裁判所が健全な社会通念に基いて判断するのを相当とする。惟うに労働組合法は労働者の団結権を保障し団体交渉権を保護助成しその地位の向上を図る一面労働者をして自己の責任と義務を認識自覚させ以て民主的にして且平和なる国家の再建を意図するものであつて、決して単に労働者の階級的利益のみに奉仕する為め設けられたものではない。換言すれば労働者の団結権や団体交渉権は一般社会の利益との有機的関連の下に於てのみ認められるのであつて、之と遊離して観念的に主張することは到底許されないと解すべきである。従つて労働組合の団体交渉その他の行為も専ら以上の見地に立つてその正当性を決定すべきである（傍点筆者）」（鐘淵通信工業事件、長野地上田支判昭二三・六・一九前掲【41】参照、刑資二六・七〇）。

【45】　「(憲法二八条の規定は)勤労者のかかる権利の無制限な行使を許容し、これが国民一般の自由権財産権等の基本的人権に対し絶対的に優位を占めることを認めた趣旨でなく、ただ一般の自由権や財産権と雖も勤労者の団体行動権のため或る程度の制限を受けることあるは已むを得ないところとするものであつて、その限界は公共の福祉と社会通念に求むべきであり、従つて労働組合法第一条第二項は労働組合の団体交渉その他の行動も同法所定の目的達成のためになした正当な行為に限り刑法第三十五条の適用があるとするのであつて、労働組合の団体行動については暴力の行使がなされたような場合までも、そのすべてが正当化され常に違法性がないものと解すべきでないことは原判決に説示するとおりである。もとより前示法条に規定する正当な行為であるか否かについては、労働組合の争議行為が労働者の組織的生活利益を守るための必要に出たものであつて、本質的には利害相反する労使両当事者間における実力闘争であることの理解に立つて判断されねばならないことは言を俟たないけれども、それはあくまでも社会通念上許容されるものでなければならないのであつて、即ち当該争議の動機目的手段方法について正当視せられるものでなければならない(傍点筆者)」(三菱新入七坑控訴事件、福岡高判昭三〇・六・一四刑集一八二・一五・三四九)。

このように団体交渉その他の団体行動の正当性の判断基準を一般的に求めるとすれば、それは勢い、公共の福祉に反しないとか、社会通念上是認されるとかの、抽象的なものとならざるを得ないであろう。このような抽象的基準が果して基準といえるかどうかは甚だ問題である。即ち具体的事件について判断する際、たとえこのような一般的・抽象的基準が設けられていても、それが抽象的であるだけに、その適用は個別的・具体的にならざるを得ないし、更に公共の福祉、社会通念なる概念自体極めて流動的なものであつて、特に後者はその内容決定がそれを援用する裁判官に委ねられることになる(【44】参照)からである。又、公共の福祉に反しないということがもし刑法所定の犯罪類型に該当しないということを意味するとすれば、労働組合法一条二項は全く無意味となる。即ち、団体交渉の手段が何らの犯罪類型にも該当しない限り、その行為が刑事責任を追求されないことは自明の理であつて、これを正当行為とするまでもないのである。故に一条二項に何らかの存在理由があるとすれば（それが現在では憲法二八条の保障を具体化したものと理論づけられるにせよ）、一般には犯罪行為とされる行為の或るものが、同条一項の目的を有する組合の行為であるなら刑事責任が追求されない、というものでなければならない。ただ、このような法的保障をうける労働組合の行為と認められるためには、それが正当なものでなければならないのである。そしてこの正当かどうかは多分に相対的な評価であつて、諸般の事情を考慮して判断されなければならない。次のような判例がある。

【46】（事実）　争議中に反組合的な行動をとつた組合員を除名した組合は、更に会社から追放しようとして会社と団体交渉を行い、その解雇を要求したが、会社はオープンショップ制を理由にこれを拒否した。そこで交渉に当つていた組合長は、「職場では組合員と除名者の対立が激化して非常に危険な状態にある。会社でこの問題を放置しておけば職場において故意に硫酸、苛性ソーダ等の危険な薬品を抛りこんだり、合図なしにモーターのスイッチを入れたり、ギヤーの中に入つているとき蓋を閉めたりして危害を加え、不測の事態が発生するかも知れん、そのような事態が発生する危険があるからどうしても除名者を解雇せよ」等と言つて、要求に応じないと会社の完全な経営権に害を加える旨告知して脅迫した。

（判旨）「被告人は、判示の日時場所において、判示の会社代表者に対して、判示被除名者三名の即時解雇方を要求し、そしてこの要求は、既になされた労働組合総会で決議したところの除名処分に基いて、被告人を主班とする同組合の中央闘争委員会が更にその実行手段として、右三名の解雇追放を会社に申出るべく協議決定したものである旨を知らせているから、その要求をたやすく会社側が容れなかつたのに対して、被告人が、他の中央闘争委員等の同席する会議場で、会社代表者に向つて判示趣旨の言辞を用いたものであるから、これによつて右要求に応じなければ組合長たる被告人及び他の中央闘争委員等の指導下にある組合中のある組合員が軽卒にも被告人の右通告したような不測の災害をひき起して会社代表者の工場監理乃至会社経営権の運営に支障を与え、ひいて財産上の被害を及ぼすであろうことをさとらせ、暗々裡に会社代表者を不安な心情に傾かせるに足る事実を告げて右解雇要求を容れさせようとしたものと言うべきで、これは刑法第二二二条所定（正確にいえば同法第二二三条第一項、第三項による未遂罪に当る）の脅迫罪の構成要件に該当するのである。

しかしながら本件の行為は、右認定のとおり黒川工業株式会社所属の一部組合員の身分問題についてその労資関係を規制する会社対労働組合の正当な団体交渉の席上、たまたま交渉員である被告人によつて、右交渉に当つて行われた所為であるとすれば果してこの所為が社会通念上、正当な団体交渉権行使の範囲を逸脱しているかどうかを検討する要がある（検察官は右行為はその範囲を逸脱した違法なものと主張している）。なぜならば、労働法規によれば労資関係規則の問題について組合が会社と団体交渉をし、組合側の具体的な要求事項を提示し合理的な処理を求めてその実現を期することは勿論許されているところだからである。

そこで当公廷に顕われた諸証拠を綜合した結果、更に左のような事実が認められるのである。即ち

一、前示会社における昭和二七年六月から同年七月五日に亘る、待遇改善要求の労働争議実施中、組合員吉岡一、橋本衛、佐賀秀和外数名が右争議について非協力的態度をとり殊に右三名は会社側役員と私的交渉を持つに至り、いわゆる分派行動者と目されるに至り、これが原因となつて争議妥結後も右三名と他の組合員との間に感情的な対立を来たして、右三名のいる職場にあつては相互に敵視、憎悪の空気が去らず、工場内作業の円滑な遂行に支障があつたこと、

二、会社役員も本件団体交渉以前において、ほぼこの情勢を察知していて、右三名の職場では硫酸や苛性ソーダの薬品も相当量取扱うし、動力は勿論のこと、ギヤーの操作なども行つていたから相互間の対立がとけないまま、感情上の行違いから最悪の場合として他の組合員がその職場で右三名に対して危害を加えて不測の災害をひき起されては困るという観念を抱きその対策に関心をもつていたこと、

三、本件交渉においては、右三名の解雇要求が唯一の討議問題ではなく、他に争議解決後の処理乃至協定実施細目に関する案件が数件あつて、右解雇要求の問題はその間の一議題として提示されたものであること、

四、被告人が右要求を提示してから、判示のような言辞を用いるに至つた際までにおいても、その挙措、態度は決して粗暴なものでなく、着席のまま単に語気を強めて発言し、机に指をさして強調する程度であり、その他の列席委員においても特段に粗暴の挙動に出たものと認められないこと、

五、会社側としても前示のようにその実情を察していたため、交渉の席上では右要求を拒否したけれども、結局黒川社長の提案によるいわゆる冷却期間を設けて右三名を一時欠勤又は職場替をして、その間対立感情の緩和をはかることの得策なることを認めて、これを採用したこと、

六、被告人が提示したような不測の事態がその職場において発生した場合には、組合長たる被告人自身においても対社会関係においてその責任を問われ或はその地位を失脚するにいたるべき筋合におかれていたし、一方被告人の経歴や本件労働争議に対する基本的な指導態度が比較的穏健であつた事実より推察して、右のような不測の事故を故ら希望していたものでないと確認出来ること。

以上の諸事実を綜合して考えるならば被告人の本件行為は実質的には一個の警告と解してもよい位で、それが、団体交渉に当つてその権利行使の範囲を逸脱しその方法が社会通念上許容される程度を超えたものであるとは認めることが出来ない。よつて本件公訴事実に挙げられた被告人の行為は正当な権利行使行為に外ならないものと認めるのが相当であるから、犯罪の成立を阻却するものとし刑法三五条、刑事訴訟法第三三六条前段に従つて無罪の言渡をなすべきものである」(黒川工業事件、京都地判昭二八・一〇・一九刑資一〇二・六七二)。

【47】「本件証拠調の結果を綜合すれば判示会社側は九月十七日判示組合側に対し判示九十一名の大量解雇案を提示し同組合の決議を以てこれが受諾を拒否せらるるや同月十九日同組合との間に締結せられた労働協約の有効期間の経過を俟ち突如として右解雇対象者に対し解雇処分の通告を為し同月二十日臨時休業を宣して工場事務所正門及び小門を閉鎖して守衛をしてこれを固めしめ解雇被通告者の入場を禁止し且つ工場事務所二階の階段入口にも立入禁止を表示して前同様守衛をして、同所を固めしめ以て抜打的の行動を採つた事実並びに

一方解雇被通告者を含む同組合員は友誼団体の参加を得て約三、四百名津海岸御殿場に集合して組合大会を開催し被告人を含む十三名の闘争委員を選び同日午後四時頃気勢を挙げて同工場正門前に行進し委員長太田光雄において守衛を通じ入門、会社側重役と団体交渉方を要求中折柄の降雨に一入焦燥と興奮に駆られた被告人を含む組合員等が偶々同工場内に帰宅せんとした小学生一名を入場せしめんとして守衛が小門を開けた機会に乗じ群集心理の赴くまま集団的に入門し守衛を排して工場玄関前に集合更に四名の闘争委員を送つて団体交渉方を要求したがその進捗の順調ならざるに尚も興奮し勢の赴くところ遂に事務所二階に立入るにいたつた事実を認めうる。而してかかる組合員の右行動は団体交渉権の行使として外形的に平穏を欠くところがあるが計画的にして且抜打的而も著しく、労資協調の精神を没却した道義上非難に価いする会社側の行動に挑発されたものであり、且前記の如く焦燥と興奮に駆られ群集心理の赴くままことここに立到つたことは、その心情において真に止むを得ざるところである。況やその解雇処分が法律的に有効と確定したものでなくそれ自体が争議の客体となつている右の如き場合組合員が団体交渉及びこれが応援の目的を以て自己の職場という認識の下に工場構内及び事務所に立入つたとしても右事情の下においては違法性はないものと解するを相当とする」（松下電工津工場事件、津地判昭二三・一二・二八刑資二六・一八二―一八三）。

右の二例は正当性の判断が単に外形上犯罪類型に該当するか否かによつて決せられるべきでないことを判示した例である。【46】では周囲の状況や当事者の意向等を考え併せて、害悪の告知が正当な権利行使の範囲を逸脱しないと認められ、【47】では使用者の反道義的・挑発的行為が原因となつている場合に、普通であれば違法視されるような行為が「外形的に平穏を欠く」ものと認められながらもなお団体交渉権の正当な行使と判断されているのである。これを前述の如き団体交渉における労使対等の面において理解するとすれば、【46】は害悪の告知という脅迫的行為が未だ使用者の自由なる意思を抑圧して一方的に組合に有利な交渉を展開せしめる程のものではなかつたこと或いはそのような不当な意図に基くものではなかつたことが認められたものであり、【47】ではこうした対等な交渉力を以て対決すべき団体交渉の要求としての行為が正当視されたのである。

ところでこのように交渉手段の正当性を労使の交渉力の均衡の中に求めるとしても、如何なる手段をも許容されるのではないこと勿論である。特に、使用者の身体に危害を加え、或いは意思の自由を全く抑圧し去るような暴力的行為はいかなる場合においてもその正当性が否認される。明らかな暴力的行為は労組法第一条二項但書により疑う余地もないが、使用者の意思の全面的抑圧は対等の場における「交渉」の否認であつて、団体交渉としての保護の外に出るからである。このことは、団結権が市民的自由を超えるものとして理解されるとはいえ、なおそれは実質的契約自由を回復する手段としての権利である以上、当然の結論である。

右のような観点から正当性を否認された団体交渉手段の例は数多いが、次に代表的なものをいくつか挙げてみよう。

【48】「労働者が団体交渉権を有するからといつても使用者側の交渉委員及びその補助者から憲法が保障する自由及び権利を奪うことを許すという趣旨のものでないことは勿論である。本件は判示認定のように団体交渉において使用者の交渉委員及びその補助者を工場内にとじこめて、その身体の自由を拘束したというのであつて、その行為は之を以て団体交渉権の行使であるということをえず、使用者側交渉委員及びその補助者を不法に監禁することを手段として交渉の目的を達成したものであることは明らかであるから正当な団体交渉とは認めることは出来ない。従つて労働組合法第一条第二項の適用を認める余地はない」（山陽化学宇部工場事件、広島高判昭二四・四・二七刑資四八・一〇九六）。

【49】「原判決は……相手方が単に監禁の状態にあつたが故に改正前の労働組合法一条二項の適用の余地がないと判断したものではなく、所論諸般の事情等を審理検討した上、本件の不法監禁行為は、労働争議中に発生したことではあるが争議行為自体に随伴して生じたものではなく、従つてその違法性を阻却するか否かについては、争議行為自体の正当性の有無を判断する必要はないし、また、本件行為は、判示認定のように憲法、労働組合法等において保障確認されている団体交渉その他の団体行動権を行使すべき憲法所定の趣旨に反し、専ら団体交渉の目的を達する手段として判示のごとく使用者側の交渉委員及びその補助者を約三十五時間に亘り工場内に閉じ込めて憲法の保障する身体の自由を拘束したものであるから、正当な団体交渉とは認めることができず、従つて前記条項の適用を認める余地がない旨を判断したものである。そして、その説示は要するに本件行為をもつて団体交渉権行使の正当な範囲を逸脱したものと認めた趣旨と解することができ、そして、その認定は原判決の列挙する証拠によつて首肯し得るところであるから、原判決には審理不尽理由不備の違法があるとは認められない」(同前上告事件、最判昭二四・一二・二二刑資四八・一九七)。

【50】「被告人等は判示の如く謝罪を求むるため手足をとつて強いて三輪車に積込まれた礦業所幹部四名を多数の組合員と共にワッショワッショの掛け声高く約千五百米離れた山上に孤立する組合専用の洗心館に運搬するが如き暴行を加えた上、多衆の組合員等の判示の如き包囲下とその喧噪裡において謝罪を求めその目的を達した後、右四名の意思に反して一方的に団体交渉をなすが如くに労働強化、保安法違反等の問題を提示して回答を迫つたこと(を)……認め得るから、斯る行為は到底前記労働組合法所定の正当な団体交渉とは認め難い。
……被告人等は洗心館において礦業所幹部に茶を出し食事を与え煙草も買与え且つ二回に亘り……右幹部が協議する機会を与えておるのみならず、洗心館に拉致された後において同人等が脱出を図つた気配はなく、又脱出阻止のため同人等に暴行脅迫が加えられた形跡は認められない。そして正当に開かれた団体交渉にあつては中途において納得のいく事由がない限り之を中止して退去することは許されず、又団結の力を以て之を阻止し得る場合があることは勿論である。然し乍らさきに説明した如く洗心館における行為は正当なる団体交渉とは認められないのみならず、手足を捕え胴を抱え強いて三輪車に積込まれた礦業所幹部を『つるしあげ』のため

多数の組合員が之を取巻き……洸心館に運搬拉致するが如き暴行はその目的に照し監禁の手段としてなされたものと謂うべく、しかも右暴行と洸心館における判示の如き被告人等始め一般組合員等の言動、情況等が相俟つて……礦業所幹部の心理に強く影響を及ぼし同人等が同所から脱出を欲し乍ら敢てこれを企てる気力と機会を持ち得なかつたことは……認められ、且つ被告人両名初め他の組合員等が当時満足のいく回答を得ない限り洸心館から退去を許さない意図を有していたことは……窺われるから、被告人等の判示所為は暴行による不法監禁として欠くるところはない」（三菱鉱業新入七坑事件、福岡地判昭二九・一二・一三刑集一二・一五・三四九三―三四九五）。

【51】「労働組合の団体交渉権の行使により相手方に或る程度の強制を伴うことあるは避け得ないところで、相手方は正当な事由なくして一方的にこれを拒否し得ない筋合であり、そうして被告人等は洸心館において礦業所幹部に対し茶を出し、食事を与え、煙草を買い与えたのみか、右幹部も別室協議を数回開いており、同所から脱出しようとした気配はなかつたし、同人等の脱出阻止のため暴行、脅迫が加えられた形跡もなかつたことが窺われるけれども、団体交渉を拒否し又は納得のいく事由がない限り之を中止して退去することができないのは、その交渉が正当と認められる場合において始めて云いうることで、前述のごとく暴力により礦業所幹部を拉致した上で且つ同館における組合員の言動、その醸し出された不穏な情勢下においてなされた団体交渉は到底正当なものとは云えないのであつて、それにも拘らず右幹部が退去しなかつたのは右の如き組合員等の一連の言動及び情勢が右幹部に強い心理的影響を与え、同館から脱出を欲しつつも敢てこれを為す気力と機会を持ち得なかつたことが推察されるのみならず、被告人両名及び他の組合員等も当時満足のいく回答を得ない限り同館から幹部四名の退去を許さない意図であつたことが認められる本件においては、被告人等に不法監禁罪の成立することを否定する事由となし得ない」（同前控訴事件、福岡高判昭三〇・六・一四刑集一二・一五・三四九九）。

【52】「原判決（前掲【51】）が、洸心館における団体交渉を違法としたのは、憲法第二八条及び労働組合法第一条第二項の解釈適用を誤つている」という弁護人上告趣意について

「当裁判所大法廷の判例によれば、刑法所定の暴行脅迫が行われたときは、憲法二八条の保障する団体交渉権の行使ということができず、労働組合法一条二項の許容しないものであるというのであつて（昭和二二年（れ）

三一九号同二四年五月一八日大法廷判決・刑集三巻六号七七二頁)、本件のように被告人らにおいて、天辰勤労課長が拒否するのにかかわらず、判示の日午後五時頃数十名と共にクラブ玄関から屋内に入り、所長、副長らの意思に反して強いて同人らを組合員百数十名の待機する大広間に連れ出し、罵詈雑言を浴びせた上、その周囲を強烈に足踏みして同人らに危険を感ぜしめたばかりでなく、他の組合員らと共に会社幹部の手足を取つて強いて三輪車に積み込んで約一五〇〇米を隔てる山上に孤立する組合専用の洗心館に拉致し、多数組合員の包囲喧噪下に一方的に追求し、翌日午前一時三〇分頃まで監禁した所為が、刑法所定の暴行、脅迫、監禁に当らないとは到底いえない。違憲の所論はその前提を欠くものである（昭和二四年(れ)一六二二号同二八年六月一七日大法廷判決・刑集七巻六号一二八九頁参照)（傍点筆者)」(同前上告事件、最判昭三三・一一・四刑集一二・一五・三四四二)。

【50】【51】【52】はそれぞれ同一事件に関する第一審、控訴審、上告審における判決である。この事件では判示されているような一連の行為について暴行、脅迫(暴力行為等処罰に関する法律一条一項)、不法監禁(刑法二二〇条一項)の罪を問われたのであるが、第二審は暴行、脅迫については、争議に相当の理由があつたこと、急速な解決を必要としていたこと、会社側が逃避的態度を示しこのため組合員大衆が激昂していたこと、被告人ら組合幹部はこれら大衆に引きずられたものであり、むしろ過度の暴力的行為を制止しようと努めたことなどを認め、こうした事情の下では「被告人等に対し、また之と同様の立場における何人に対しても、右のごとき所為に出でないことを期待することは可能であるとは認め難(い)」として無罪を言渡した点で注目された。然し最高裁は「右に列挙するような事情が認められるとしても、それだけでは右所為につき被告人らの罪責を阻却する事由とはならないから被告人両名の右所為はいずれも暴力行為等処罰に関する法律一条一項に該当する犯罪であるといわなければならない」として不法監禁の

点についてだけ有罪とした控訴審判決を破棄差戻した。この問題は刑事訴訟法上の問題にからみ、その点はここに論ずべきところではないが、控訴審において認められたような諸事情が上告審において何らの顧慮をも払われなかつた（第一審では「寧ろ斯る場合においてこそ組合幹部たる者は、はやる組合員大衆を飽くまで制止し以て組合運動の秩序と統制を図ることが幹部に課せられた責務と謂うべきに非ざるか」として期待可能性なしとする主張を却けている）ことは最高裁の争議行為乃至はそれを背景とする団体交渉方法の正当性の判断が次第にその柔軟性を失つて来ていることに通ずるものの如くである。即ち、前述【43】の判決はその後屢々引用される（【52】でも引用されている）ところであるが、そこでは暴行罪又は脅迫罪に該当する行為があつてもそれが労働者の団結行為である場合にはなお正当なものとされる余地がありうることを肯定していたと解せられるに反し、その後の判例では、同じく【43】の大法廷判決を引用しつつも、

【53】「旧労働組合法一条二項の規定は勤労者の団体交渉においても刑法所定の暴行罪又は脅迫罪にあたる行為が行われた場合にまでその適用があることを定めたものでないことは既に当裁判所大法廷の判例とするところであるから（昭和二二年（れ）三一九号同二四年五月一八日大法廷判決集三巻七七二頁以下参照）、原判決が被告人等の判示所為を暴力行為処罰に関する法律一条一項、刑法二二二条一項に当るものとして有罪とし、ただその犯情において冒頭摘録のごとく同情すべきものとして量刑した上刑の執行猶予をしたのは正当といわなければならない（傍点筆者）」（日本製鉄輪西製作所事件、最判昭二五・七・六刑集四・七・一一八九―一一九〇）。

と述べ、暴行罪又は脅迫罪にあたる行為があれば、労働組合の正当な行為として刑法三五条の適用される余地の全くないものとしてしまつた（同旨、最判昭二七・一一・二一刑集六・一〇・一二四一、同昭二八・二・二七刑集七・二・三五一、同昭二九・八・二〇刑集八・八・一二七八、同昭三三・四・二五刑集一二・六・一四三三―一四三四及び前掲【52】等）。このように正当性の限界を刑法所定の犯罪類型に求めるのは誤りであることは既に

述べたところであるから、ここでは個別的・具体的かつ相対的評価たるべき正当性の判断に際して、【52】の判決がそのような判断に重要な影響をもたらすべき諸般の事情につき殆んど無関心であつたかの如く思われる点に不満を提するに止めよう。勿論このような考慮がなされたとしても本件被告人等の行為が正当化されるというわけのものではなく、【51】においても、期待可能性の問題として取扱われただけであつたことは、暴力的手段が団体交渉手段として殆んど正当視されることがないことを物語るものともいえるであろう。こうした暴力的交渉は最近ではあまり例をみないが、以上の他、典型的な二例を挙げておく。

(1)　つるし上げ

【54】「(団体交渉の目的が正当であるとしても) その手段としてなされた被告人等の所為は、原判決の確定したところを要約すれば喧騒する大衆の面前で後藤所長、野田副長に対し要求事項の承諾を求め同人等が機会を改め委員会を設けて折衝したいと申出ても被告人等は之を許さず、その目的完遂迄は帰さないで頑張るから大衆諸君も頑張れといい、又罵声怒号する大衆の前で長時間に亘り交渉を続け、後藤、野田等が脱出しようとすると組合人大衆も同人等を取囲み、被告人等もその脱出を阻止し、その間後藤、野田等に睡眠も与えず交渉を続けて、昭和二一年二月一七日午後六時過頃から後藤に対しては翌一八日午後三時頃迄、野田に対しては翌々日一九日午前三時頃までその場に留るの止むなきに至らしめたものである。かかる被告人等の行為は、当時の社会情勢を考慮に入れても社会通念上許容される限度を超え、刑法三五条の正当の行為とはいい得ないものであつて、被告人等の行為は違法性を阻却されるものではない」(三菱美唄炭砿事件、最判昭二八・六・一七刑集七・六・一二九二—一二九三)。

(2)　脅迫的交渉

【55】「被告人仁和武雄は数名の青年隊員と佐藤人事課長代理等会社幹部より整理案撤回に尽力する旨の言質を得んことを謀り……数十名の青行隊員等と共に……同工場人事課長代理佐藤武の帰途を擁し面談を求め之

を拒否せらるるや同所より右多人数と共に人垣を作り之を同人の身体に密着して強いて同工場事務所二階の会議室まで押し上げ拉致した上引続き工務課長中野文司、生産課長西川外男、業務課長原島保の三名をも同室に招致し、刻々に蝟集する組合員及びその家族百数十名と共に之を取囲み約四時間余りに及び執拗に多衆の威力を示して四課長をして馘首案撤回に尽力する旨の確認書の作成交付方を迫り、其の間口々に『窓から放り出せ』『殺してしまえ』等と怒号し剰え同人等の面前に長さ三尺余りの蛇を這わせ或いは灰皿を叩き割り中野文司の胸倉をつかんで暴行を加え同人等が之に応じない場合にはその生命身体に危害を加えるが如き気勢を示して脅迫し因つて右四名をして右趣旨の確認書一通を作成せしめ」たとして脅迫罪に問われた（日本セメント上磯工場事件、函館地判昭二四・一一・一〇刑資四八・四二一、尚、同控訴事件、札幌高函館支判昭二五・九・一三刑資五五・一三二参照）。

この他、職場交渉に際し社長の命令で満足な回答を与えぬ部課長らに怒つた組合員が「その身辺近くにおいてブラスバンド用の大太鼓、鉦等を連打し同人等をして頭脳の感覚鈍り意識朦朧たる気分を与え又は脳貧血を起さしめ息詰る如き程度に達せしめた」として暴行罪を以て律した日本電線事件（最判昭二九・八・二〇刑集八・八・一二七七）がある。

四　使用者以外の者に対する陳情等

団体交渉は契約労働関係内において労働条件を中心とする労働者の地位の向上をはかることを目的とするものであるから、その相手方は当該労働関係の当事者であり、労働条件の維持・改善について処分決定権限を有する者であることは当然である（前述三の二）。ところが、団体交渉が何らかの理由で行きづまり、解決のきざしも見えない時など、当事者がそれぞれ相手方の家族等に働きかけて自己に有利な交渉の展開を図ることが屢々行われる。これはわが国の労働関係に残存する封建性――労働者と使用者の労働力取引関係としての労働関係が使用者の家庭と労働者の家庭との関係に延長されている（註）――に起因するものであろうが、かかる行為はたとえ団体的にこれが行われるとしても団体交渉として法が保護する範囲外にあるといわざるをえない。この種の行為に関して次の如き判例がある。

【56】「凡そ労働争議において団体交渉権が認められ、組合員の集団の威力を行使することが許されているとはいえ、それは労働争議当事者間にのみおける問題であって、争議に関係のない第三者（特に争議会社の重役の家族）に対し、集団の威力を示してこれを畏怖せしめ、或は又これを困惑に陥れて間接に争議を有利に導かんとするが如きは特別の事情のない限り正当な争議行為の範囲を逸脱するものと解する。……被告人等は備前興業株式会社取締役相賀文之介に直接面会して陳情するというのではなくして、争議に全く関係のない同人の妻豊喜野に面会して争議解決について協力方の陳情を行うと称し、同人の私宅に被告人等を含む百四、五十名の組合員が大挙して出向き……大部分の者は同家の表側や裏側にたむろし、一部の者は同家の周囲の土塀及び母家の周囲の各白壁その他の個所に……ビラを貼りめぐらし……又他の一部の者は右文之介の母辰野から拒絶されたにも拘らず中庭に侵入し同女に対し右豊喜野に面会を強要し悪口雑言をあびせて喧騒を極めたことが認められる。このビラ貼り陳情は……争議解決の曙光すら見えないため戦術会議において会社側に圧力を加えるという手段として採用されたものであるから、その目的において、その相手方においてその手段において労働争議行為の範囲を逸脱したものであって、法令にもとづく正当な行為とはいい得ない」（備前興業茶屋町工場事件、広島高岡山支判昭二九・一〇・一二労働関係判例命令集(昭三〇)四三三）。

尤も、右のような行為が団体交渉ではないということは、正当な団結行為に対する特別の保護が与えられないというのであって、それらが直ちに民・刑事上の違法行為となることを意味するものではない。

（註）　このことはいわゆる「家族ぐるみ闘争」の家族組合運動（藤田若雄「労働協約理論の課題」季刊労働法二〇号一五―一六頁参照）とは本質的に異なるものである。

団体交渉の前段階として、地方の有力者或いは使用者に対して何らかの影響力を持つ外部の者に対して斡旋を依頼するような事例もある。

【57】（事実）　出来高払賃金制をとつていた工場で会社が一定率による数量を帳簿上から天引してその分については賃金計算から除外していたことに不満をもつていた従業員は、たまたま税務署の調査があつたことでいよいよ会社経営・経理について疑惑と不満を高め、五人の従業員が集り組合結成の相談をしたが、とりあえず経営の民主化と未払賃金の要求をすることにした。この要求提出について日頃の社長の言動からして直接社長に当ることを不利だと考えた右五名は現在は社外重役である前社長に会社経営の民主化と未払賃金支払促進について善処方を申入れた。これを知つた社長は右五名を呼びつけ追求詰問し、特に一人の庶務係員に対しては「私は君を片腕として頼みにしていたのに直接経営担当の社長を通さず絹川取締役（前社長）のところに行つたことは、私の信頼を裏切るものである云々」といつて難詰し任意退職を勧告し、その後解雇した。

（判旨）　「社長は従業員が直接経営担当の社長を通さず、会社の内容を社外重役に申入れたことを非難しているが、今野忠治郎の供述証人佐々木義家の証言に徴して明らかなように、社長に直接申入れるかどうかを相談した結果、社長の日頃の言動からみて到底きき入れてくれないものと判断し絹川前社長を通じて是正方依頼したものであつて、未だ適正な労使慣行の確立されていない同会社においては、やむを得ない行為であるといわなければならない。

よつて、前記のごとき団体行動における佐々木の行動をとり上げ、これを理由として解雇することは、まさに労働組合法第七条第一号に該当するといわなければならない」（京都硬化煉瓦事件、京都地労委昭三二・三・四命令、不当労働行為事件命令集一六＝一七・三八）。

右の事例では前社長たる社外重役の会社内における地位・権限が必ずしも明確ではないけれども、一応、経営担当者としての実質を有しなかつたものと判断してよいであろう。とすれば、従業員等の申入れなるものは団体交渉ではないわけである。従つて法律的にはかかる行為が正当な団結行為であるか否か（労組法一条二項・七条一号・八条）の問題が残るのみである。然しながら右の【56】【57】の事例、殊に後者に示されるところは、こうした交渉類似行為が実質的に団体交渉としての役割を担わされているということである。それは、法の期待する合理的労働関係が未だ実現されていないためであるとはいえ、注意すべき事柄であろう。

中央労働委員会命令

地方労働委員会命令

判 例 索 引

最高裁判所判例

高等裁判所判例

地方裁判所判例

著者紹介

峯《みね》村《むら》光《てる》郎《お》　慶応大学教授
菊《きく》池《ち》勇《いさ》夫《お》　九州大学教授
深《ふか》山《やま》喜《き》一《いち》郎《ろう》　佐賀大学講師

総合判例研究叢書　労働法 (9)

昭和 36 年 12 月 20 日　初版第 1 刷印刷
昭和 36 年 12 月 25 日　初版第 1 刷発行

著作者　峯村光郎
菊池勇夫
深山喜一郎

発行者　江草四郎

東京都千代田区神田神保町 2 ノ 17
発行所　株式会社 有斐閣
電話九段 (331) 0323・0344
振替口座東京 370 番

河北印刷・稲村製本

総合判例研究叢書 労働法(9)
(オンデマンド版)

2013年2月15日 発行

著 者 峯村 光郎・菊池 勇夫・深山 喜一郎
発行者 江草 貞治
発行所 株式会社 有斐閣
〒101-0051 東京都千代田区神田神保町2-17
TEL 03(3264)1314(編集) 03(3265)6811(営業)
URL http://www.yuhikaku.co.jp/

印刷・製本 株式会社 デジタルパブリッシングサービス
URL http://www.d-pub.co.jp/

 AG552

ISBN4-641-91078-2 Printed in Japan